내 삶에 무엇을 더하고 뺄 때 비로소 모이기 시작한다.

마흔, 빚 상환의 기쁨, 머니 메신저 도착

저자 김정희(안젤라)

부자 되는 선택으로 어려운 이웃에게 기부할 수 있는 능력이 네 안에 있다는 사실을 믿고 걸어보자. 한 번의 경험이 멋진 사람으로 이끌 듯 더 많은 돈을 번다면 부가 채워져 나누기에 인색하지 않길 바란다.

BOOKK

프롤로그

인생이란, 같은 길을 걷거나, 예상치 못한 길로 안내를 받을 수도 있다. 똑같은 길이 아닌, 새로운 길을 개척하며 새로운 사람을 만난다. 사람이 길을 안내하며, 아이디어를 연결하는 다리가 되어준다. 갑자기 멈춰진 열차에 멍하니 바라보며 머물기보단, 오늘 할 수 있는 한 가지에 집중하며, 나만의 길을 걸으려 한다.

책이란, 나에게 좋은 친구이자, 길 안내자가 되고, 좋은 인연으로 이어진다. 꼬리 무는 독서, 책 서평을 하면서 블로그 이웃을 만나고, 읽는 독자를 넘어서 글을 쓰는 사람이 되고 싶은 마음을 품고 책을 읽는 시간을 줄이며 내면 깊이 들여다보는 글쓰기의 매력에 빠진다.

책과 돈을 연결해서 말한다. 책을 통해서 가난을 극복할 수 있었듯. 돈에 관한 고민을 치열하게 했고, 행동을 바꾸는 경험을 살려, 독서를 통해 밥이 나와 돈이 나와? 라는 말에 당당히 돈이 나오는 거 몰랐어? 라고 말하고 싶다.

책은 우리를 자기 객관화할 수 있도록 이끈다. 작가를 통해서 대입하며, 다른 시각으로 생각해 보도록 만든다. 머릿속에서 떠올리지 못했던 시각의 변화와 아이디어가 길이 되기도 하고, 직업, 사람과 연결되며, 새 옷을 입은 것처럼, 인생을 재편성한다. 초보 작가로 살면서, 누군가에게 선한 영향력을 나눠주며, 따라하고 싶은 호기심으로 접근하자. 김경필 멘토님의 강의를 들으면, 1억 모으고 싶은 강한 자극에 몸을 들썩이며 움직인다.

우리 삶은 어둠으로 끌려간다. 가진 것을 타인에게 맡겨둔 채. 출구 없는 터널 속을 맴돌며 평생을 가난의 굴레에서 벗어날 수 없다. 가난은 재앙이며, 가족 모두를 어둠으로 몰고 간다. 한 사람의 선택이 가족 전체를 불행으로 빠트리기도 하고, 구세주가 되기도 한다.

지금까지 이런 맛은 없었다. 책을 사랑하는 맛, 돈을 사랑하는 맛, 부채를 극복하는 맛, 사람이 모여 순환 경제가 탄생한다. 어둠을 벗어나, 빛을 향해 걸어갈 수 있다. 당신이 부자가 되기를 꿈꾸며 가난에 맞서 싸우면 좋겠다. 누구나 시간은 무한하게 흐른다. 부자 되는 선택으로 어려운 이웃에게 기부할 수 있는 능력이 네 안에 있다는 사실을 믿고 걸어보자. 한 번의 경험이 멋진 사람으로 이끌 듯, 많은 돈을 번다면 부가 채워져 나누는데 인색하지 않길 바란다. 허무맹랑한 생각에서 부자 되기는 시작된다. 아이들의 단순한 마음처럼, 어른들에게도 단순함이 필요하다.

내 삶에 무엇을 더하고 뺄 때 비로소 모이기 시작한다. 더하기 빼기만 잘해도 공간이 메워진다. 수학을 못 해도 부자 된다. 내가 했다면, 누구나 할 수 있다. 무엇을 가지고 뺄 것인지 선택하자. 자동차 대신, 아파트를 선택했다. 당신이 가방과 옷을 살 때 월세 투자를 했다. 이러한 작은 차이가 부자와 빈자를 가른다. 남편이 혼자 걷는 대신 함께 맞서 일을 시작했듯, 함께 두 손을 잡고 가정을 꾸려나가며 가난을 극복할 에너지가 채워진다. 당신도 담담히 맞서 부자가 되겠다는 강한 욕망을 갖고 성취감을 맛보길 바란다.

차례

1. 당신에게 성장 동력이 있나요?

삶을 바꾸는 책을 읽자.

자녀를 잘 키우고 싶은 마음으로 교육에 열을 올리며 많은 지원을 아끼지 않지만, 자신에 대한 투자는 부족하다. 옷과 가방 화장품을 사는 소비에서 책으로 대체 된다. 외식비 자리에 다양한 책을 섭취한다. 음식을 먹는 기쁨을 넘어 지식을 먹는 기쁨으로. 생활이 나아지지 않을 것 같았는데 책은 마이너스를 플러스로 바꾸는 행동 변화로 이끈다. 빚을 지는 사람에서 갚는 사람으로 책을 읽는 사람에서 책을 쓰는 사람으로 설정한다. 자녀 양육, 부모 효도, 취미, 종교, 여행 등을 하려면 돈이 있어야 한다. 원하는 것을 모두 이루려면 부자가 되어야 했다. 돈을 정복하고자 했고, 많이 가진 자들도 많지만, 가진 것에 감사하며 돈에 대한 고민으로 만들어 낸 지식을 함께 나눠보려 한다.

결혼 임산 출산 돌잔치 과소비의 구간이 모두 지나갔다. 무지한 선택은 돈의 크기를 만들고 돈의 크기에 따라 은퇴의 시간이 늘어난다는 걸 몰랐다. 적은 비용으로 최대의 효과를 얻도록 노력했고, 후회되는 선택에 따른 행동으로 돈을 잃었다. 그 대가는 컸고, 과소비 구간을 살아가는 이에게 도움이 되길 바란다.

엄마가 되고 보니 돈을 모으지 않았던 지난날에 대한 후회, 육아의 노동에 대한 힘듦보다 돈을 벌어야 하고 집안 환경을 변화시키고 싶어 밤에 잠이 오지 않아 마음이 답답했다.

도피하듯 결혼을 선택했지만, 삶은 현실이었고 수많은 선택 앞에서 돈이 없다는 것은 좌절을 불러올 만큼 비참함과 초라함을 만든다. 좋은 주거 환경으로 바꾸려면 직업을 가져야 했고, 적은 월급은 잠을 줄여서라도 추가 소득원을 만들어야 했다.

나약한 엄마에서 강한 에너지를 자녀에게 얻어 만능이 되어간다. 초보 육아로 필요하지 않은 물건들을 사느라 등골이 휠 때가 많았다. 열심히 벌어놓은 소득을 필요 없는 물건을 사고 있었다.

조리원 동기와 자녀 친구 집을 방문하면서 배우자의 다양한 직업과 소득원 차이, 부모의 재력이 주거지에 따른 생활

수준의 차이를 만들고 여가 생활을 즐기는 생활 태도는 옆 가정에 자연스럽게 물들인다. 불과 몇 년 전에는 국내, 해외여행을 즐기는 문화가 아니었지만, 스마트폰의 발달이 소비를 부추기고, 타인과 비교하는 문화를 만들었다. 해외여행 안 가본 초등학생 자녀가 없다며 덩달아 소비하는 자기 합리화를 만든다. 한번 경험은 연쇄적으로 일어난다. 초등학생부터 아이폰에 열광하는 문화를 만든다.

"늦게 배운 도둑이 날 새는 줄 모른 다"는 말처럼 자신에게 맞지 않은 소비들로 가난에 벗어나지 못한다. 자신만의 소신 있는 행동이 필요하다.

사람은 주제를 알고 분수를 알아야 해. 끼리끼리 논다. 그만큼 우리가 누구와 관계를 맺는지에 따른 삶의 모습이 결정한다. 결혼하고 만나는 사람이 단순화된다. 외로움을 채우려 사람에게 의존했지만, 만남은 상처로 돌아온다. 서툰 표현이 누군가에게 상처를 주고받는다. 관계의 어려움에 침묵을 선택하며 책이 내게로 왔다. 술을 먹고 불평을 말하던 때도 있지만, 우유배달 하려면 일찍 자고 책을 보며 혼자만의 시간을 만들었다. 버려진 자투리 시간에 책을

읽어보자. 고통이나 두려움의 다양한 감정으로부터 위로를 받는다. 문제에 따른 해결책을 타인에게 묻는 대신 책에서 답을 찾는다.

우리는 어떤 계기로든 소비재 자리에 책이 들어와 변화를 믿어보자. 책을 덮고 현실은 바뀌지 않는 것 같지만 무의식중에 남겨놓고 필요할 때 꺼내 쓰고 서서히 변해갔다. <매일 책 읽기로 했다. 김범준>, <꿈이 있는 아내는 늙지 않는다. 김미경> <돈의 속성 김승호> 다양한 책의 제목이 닮아가고 싶은 마음으로 이어진다. 그들이 만들어 놓은 성공에 나만의 행동의 변화를 꿈꾸며 책을 읽게 된다.

내 아이에게 물려주고 싶은 것은 신앙, 재능, 끈기, 자립심, 부자 습관, 이타적인 마음이 결국 하나로 이어진다. 너희는 뭐든 할 수 있다. 저축하는 기쁨, 자본주의 사회에서 돈의 흐름, 빼앗기는 느낌을 경험한다. 소중한 돈을 먼저 잃는 경험이 모이고, 반대로 모일 때의 큰 기쁨을 맛보길 바란다.

시스템으로 먼저 만들어 주려고 한다. 현금을 모아서 자녀 이름으로 아파트 투자해 보기. 쓰는 기쁨보다 빚 갚고 모이는 것을 넘어 크게 불어나는 경험을 먼저 맛보고 나와 함께 동업자가 생겨 돈을 가져오고 함께 불어남을 느껴보자. 뭐든 할 수 있는 자금이 된다. 소비하는 맛(빚이 늘어남과 줄이기 어려움-탐식)과 빚이 불어나(줄어드는 과정-다이어트와 같다.) 채워짐을 다른 각도로 볼 수 있을 것이다.

모든 건 은혜였다.

누구나 원하기만 한다면, 얻을 수 있는 것들이 많다. 지금까지 살면서 원하는 것을 이뤄낸 사람은 행복한 사람이 아닐까. 남편과 성당 청년 모임으로 12월에 만나고, 성당 활동을 하면서 주말 모임에 나오는지 문자를 했다. 남편이 내게 영화 보자는 권유하기에 둘이요? 그건 그런데 하며 거절했다. `설 잘 보내요`~하며 한 달이 지났다. 3월쯤 `사무장님이 저녁 먹으러 갈래?` 하며 우리를 데리고 갔다. 제한에 응하며 처음 본 지인과 4명이서 고기를 먹었다. 남편이 집을 바래다주며, 영화 보자고 했다. 머리가 아파서 오늘은 그렇고 내일 영화 보기로 하고 헤어졌다. 다음 날 첫 데이트 했다.

각자에게 주어진 인연은 만나게 된다고, 젊은 청년이 없던 성당에서 배우자 기도가 이뤄진다고 누가 상상이나 할까. 우리가 서로에게 다가가지 못하니 멍석을 깔아준 분이 계셨듯, 뜻하지 않게 인연이 이어진다. 절대 재는 아니라 했는데, 20년 동창과 결혼하는 동료를 보면서 각자 인연은 있다고 본다.

기록하면 이뤄진다. 목표를 글로 써라. 확언하기. 선언하기를 실천에 옮겼더니 이루어졌다.

10월 신부 계산 성당에서의 결혼식 하고 싶은 바람이 이뤄졌다. 결혼을 앞두고 산전 검사를 받았다. 이형성증 진단을 받고 수술 받았다. 늦게 발견했다면, 자궁암으로 진행될 수 있다. 병원에서 임신이 어렵다는 말에 남편은 마음의 준비하고 둘이 살면 된다고 받아들였다.

운명은 간절히 바란다면 바뀔 수 있다. 예상치 못한 질병과 수술 후 몸을 회복되지 않은 채 임신했다. 할아버지가 내게 준 생명이라고 남편과 기뻐했다. 할아버지의 장례를 치른 뒤 얼마 지나 유산에 조심하라는 당부에도 시댁 할머니의 장례식을 치러냈다. 산소까지 갔다가 몸이 추웠다. 예정 진료일보다 일찍 병원에 갔는데 계류유산이라는 진단을 받았다. 생명을 지키지 못했다는 자책감이 컸다.

당일 수술 가능한 병원으로 자리를 옮겨 수술했다. 아들 결혼식을 앞두고 외할머니 장례식에 이모는 오시지 않았다. 이처럼 남편에게 말을 전했지만, 주의하라는 의사의 만료에도 그 누구도 나에게 그곳에 오지 말라고 해주지 않았다. 집에서 쉬었다면 어땠을까. 선택에 따르는 결과에 원망이 앞을 막는다. 괜찮지 않은데, 어머님께 괜찮아요라고 말해야 할 것 같아 반대로 말했다. 생명을 잃은 슬픔이 괜찮을 리 없었다.

회복을 위해 한약을 먹으며 많은 혈액 덩어리가 몸에서 빠져나왔다. 돈이 없는데 하며 한약 먹는 것을 주저했다면 몸이 고생한다. 자궁을 보강하고 관리한 덕분에 생명이 빠르게 찾아왔다. 1년에 태가 두 번 열리면 천운이라고 했다. 2월에 태어날 아이가 7월에 안나 성녀 축일에 맞았다. 세례명에 수술 날짜를 잡는 극성인 엄마였다. 아이 낳고 산후 조리하며 30일부터 아기를 안고 유아 세례 후 미사 봤다. 어린 자녀를 데리고 종교 생활을 지속한다는 건 어려운 일이지만, 믿음이 뿌리내리는 과정이었다. 자녀를 키우느라, 성당을 쉰다면, 믿기 전으로 돌아갈 수 있다. 대개 금연, 금주가 어려운 것처럼 습관을 지속하는 건 어렵지만, 만들어진 성취감은 또 다른 하나를 시작해 볼 수 있는 자기애가 생긴다.

임산부만 봐도 시샘했던 덕분인지 빠르게 임신할 수 있었다. 없어 본

자만이 마음을 알 듯, 불임과 난임으로 고통이 조금 헤아릴 수 있다.

친척 숙모님과 함께 일하는 동료는 결혼이라는 인생의 숙제를 마흔에 결혼했다. 20대에 결혼한 사람과 다른 삶을 살았을 것이다. 부모라는 숙제는 일찍 치른 사람과 늦게 치른 사람의 비슷한 연령대라도 삶은 달라진다. 살면서 많은 선택의 기회가 온다. 하나를 포기해야 선물을 얻을 수 있다. (손수 인형을 만들어 주신 숙모님) 미사 드리며 하느님께 봉사하는 두 가정에 생명 탄생의 기적이 이뤄지길 청해본다. 뭐든 때가 있다. 원하는 것을 얻기 위해 인생의 숙제를 미루지 말자.

2년 안에 1억 빚 갚기를 몰입하며, 육아휴직에 새로운 사람들을 만나며, 부자 되기 위한 실천 팁을 나눠주는 작가로 활동하고 있다. 내 삶이 또 다른 이에게 동기부여가 되고 빚은 정복할 가치가 있다고 말해준다. 불가능을 가능케 하는 기적은 기도를 통해 만들어진다.

결혼 14년, 10년 간호조무사로 살며 13살, 9살 두 딸.

은혜 은의 아름다울 서란 이름과 건강하게 태어나길 소망하는 태명을 가진 첫째, 은혜 은의 참 진을 이름과 사랑으로 자라길 바라는 태명을 가진 둘째, 하느님의 은혜로 내려준 선물이었다.

남들과 다른 삶. 열심히 살아가고 있는데, 돈이 모이지 않아 서글펐다. 아이의 시간과 바꾼 만큼 120만 원의 월급을 시작으로 206만 원이 되었다. 마지막 8개월 치 월급은 모두 빚을 갚았다. 먼저 빚을 갚고 난 뒤 적은 예산으로 산다. 7년 만에 빠르게 빚 갚기를 통해서 흩어진 돈을 한곳으로 모으며 2억 3500만원 갚았다. 8600만원을 2년 안에 갚을 목표를 세운다. 자녀는 우리 삶의 좋은 선생님이다. 처음 맞이한 엄마의 자리가 서툴지만, 많이 배우고 성장하는 동력이 되어준다.

위기의 순간을 준비하자.

마치 미래를 아는 것처럼, 준비하게 하셨다. 지금까지 돈을 관리하며 잘못된 것을 수정하는 모든 건 하느님이 도움이었다. 20년간 혼자서 힘겹게 노력했지만, 경제적인 안정을 이루지는 못했다. 손가락 사이로 모래들이 빠져버리듯 돈은 줄줄 샜다. 1년 만에 빚을 갚을 수 있었다. 잘못을 알아차리고, 방향을 바꾸며 돈이 나를 위해 일하게 한다. 모이기 좋은 환경으로 만들며 작은 돈도 사랑을 표현하고 지켜내는 힘이 생긴다. 푼돈이 목돈이 되는 모든 과정을 경험하면서 단단하고 알차게 심어졌다.

지나고 나면 알 수 있다. 은퇴가 다가온다는 것을 알아차리지 못한다. 가난한 생활이 얼마나 추운지를 겪어본 자만이 부자가 되는 준비를 한다. 당신은 부자가 되고 싶은 이유가 있는가. 누구나, 예외 없이 지나갈 수 없는 의료비 인상은 가계에 큰 부담으로 이어진다. 질병으로 병원의 선택은 각자에게 무거운 짐으로 이어지고 가난으로 이끈다면, 보험을 가진 이에겐 구세주와 같다. 경북대학교와 삼성병원의 의료비 차이는 직접 경험으로 얼마의 비용이 드는지 알 수 있다. 삼성병원은 최고의 의료 서비스라고 한다. 실손이 있는 사람은 고가의 로봇 치료를 받을 수 있지만, 가난한 이들은 치료비 부담에 따른 재정과 시기에 따른 치료를 받지 못해 고통 속에서 죽어간다. 만약 실손 보험이 없다면 서울로 가는 결정을 할 수 있었을까. 부모님 병원비를 감당해 줄 형편이 되지 않는 자녀들은 빚을 지고 가난의 늪에 빠진다. 아이들 키우며, 부모님 실손 보험까지 감당하게 되니, 쓸 돈이 줄어들었다. 언제쯤 여유로운 생활을 할 수 있을까.

언제나 돈은 부족하고 쓰일 곳이 많다. 지금 부족한 돈을 관리해야 미래의 상황이 나아질 수 있다. 적은 돈이라도 빠르게 관리하고 모을 수 있는 환경을 강제적으로 만들자. 적은 예산으로 부동산 투자 시스템을 만들었다. 월급 규모에서 적은 비용으로 시간을 투자해 오를 때까지 기다린다. 내 집 마련을 달성하기 위해서 3채의 지렛대를 활용하여 4호의 아파트를 구매하며 다주택자가 되었다. 4개의 부동산을 4개의 예금 통장과 같다.

자신이 가진 자산이 상급지가 아니라 해서 우울할 필요 없다. 더 좋은 곳으로 가고 싶다면, 그에 맞는 자산들을 활용해서 불려 나가는 작업을 해야 한다. 처음에 자신이 가진 씨앗이 적다고 포기할 필요 없다. 아무것도 하지 않고, 성취하겠다는 건 거짓이 아닐까. 원한다면 어떠한 대가든 치러야 한다. 목돈 마련을 하고 투자 공부를 해야 한다.

행동과 변화의 열쇠는 스스로가 쥐고 있다. 아내나 남편이 재정적인 마이너스 요소를 가지고 있다면, 빠르게 수정하자. 와르르 무너지는 건 한순간이다. 작은 구멍이 쌓여 무너지는 데는 오랜 시간이 걸리지 않는다. 재정 투쟁은 꼭 한번은 치를만한 가치가 있다. 빠를수록 마이너스에서 플러스로 바꿀 수 있다.

모으는 기쁨과 불리는 재미를 아는 사람과 그렇지 못한 사람의 차이. 버는 것 이상으로 과하게 쓰는 것 같진 않지만, 잘못 형성된 습관, 캐피탈, 현금서비스 등은 가정을 비극으로 빠뜨리며, 현금흐름을 막아서게 된다.

A씨 남편 퇴직금으로 금리 높은 빚(카드 캐피탈)을 갚았다. 한번

이 어렵지, 두세 번 밑 빠진 독에 물을 붓듯 눈덩이 빚을 막아야 할 때마다, 퇴직금이 나오는 건 재앙과 같았다. 퇴직금을 믿는 구석으로 생각하지 않았다면, 나쁜 빚을 심각하게 생각하고 똑같은 실수를 반복하지 않았을 것이다. 열심히 벌어들인 노동력과 미래의 퇴직금까지도 나쁜 소비 습관의 밑 빠진 독을 메웠다. 미래의 돈을 당겨 모두 썼다. 사치를 부린 것도 아닌데, 돈은 누구에게로 간 걸까. 무지의 대가는 심각했다. 은행에 정해준 대로 적게 빚을 갚고, 상급지로 이동을 꿈꾸지만, 모이는 강력함이 이들에겐 없다. or B씨의 남편 퇴직금 중간 정산을 받게 된다. 부동산 대출금을 갚았다. 아내의 퇴직금이 들어오면, 무엇을 할지 고민한다. 목돈이 들어오면, 소비를 생각하기 쉽지만, 쪼개진 돈은 흩어지기 마련이다. 다른 대안이 없다면 빚에 집중한다. 돈이란 뭉치게 되면 단단한 자산으로 흩어지지 않는 강력한 힘을 지닌다. 1천만 원과 1억은 함께 있을 때 더 큰 자산으로 자랄 수 있다. 화분의 분갈이 하며 울창한 숲으로 가꾸는 것과 같다. 나무 한 그루 때와 전체를 어울릴 때 누구도 함부로 하지 못하는 힘을 가진다. 자산도 숲을 조망하듯 함께 가꿔야 한다.

고가의 아파트 투자해 봐야 하는 이유는 돈의 그릇을 작게도 크게도 만들 수 있다. 실행하기 전부터 할 수 없다며 포기하며 나쁜 소비나 변동성이 큰 투자에 빠질 수 있다. 더 이상 시간 팔이 하지 않고 원하는 것을 하면서 살 수 있는 자유가 있다. 어떤 선택을 가진 배우자를 원하는가. 만약 손실을 일으키는 가족이 있다면, 투쟁하여 바꿔야 한다. 시간의 주인이 되어 우리의 삶을 타인에게 맡기는 대신 스스로 운영하자. 이웃을 만나 상담을 하면서, 내가 가진 것에 감사하는 마음이 든다.

적은 예산으로 여행하기

 제주도

대명 리조트 샤인빌 18.10.06~10.10

10주년 근속 기념 제주도 여행- 40만원의 행복한 추억.

표선성당, 코코몽 에코 랜드.

여행은 행복한 순간을 담아낸다. 행복했던 기억은 몇 년이 흐른 뒤에도 생생하게 떠오른다. 넉넉하게 쓰자고 하는 남편과 아껴 쓰자는 나와의 다툼. 여행을 떠나기 전, 얼마를 쓸건 지 예산을 세운다. 최대한 적게 쓸 수 있는 방법을 찾는다.

고생한 여행은 더 의미 있게 기억에 남는 법이다. 어쩌다 보니 찾아간 식당에서 갈비탕에 마른미역을 넣어서 먹는데, 처음 맛보는데 최고였다. 정성껏 끓여낸 한 끼의 식사. 주인의 너그러운 인심, 사장님께서 먹으려 끓인 칼국수를 나눠주시는 그 사랑을 느낄 수 있는 여행이었다.

성당에서 미사를 보고 처음 만난 교인이 나눠주는 따뜻한 말 한마디와 사랑. 그리고 온기까지 느껴진다. 추억에 담아내고 돌아와. 내 마음 깊은 곳에 자리 잡는다. 아이들이 바닷가에서 뛰어놀던 추억. 자연 풍경이 사진에 담아 작품이 되어 모든 순간이 좋았다. 도심에서 벗어나 가족이 함께 누릴 수 있다는 것에 감사하며 처음 타보는 전기차도 신기했다. 아이들 마음속엔 비행기와 기차를 타고 초콜릿 만들어서 좋았다.

석굴암 불국사

4만 원의 행복한 가족 가을 단풍 경주 여행 소소한 행복은 많이 번다고 좋은 것도 아니라 함께 할 가족이 있어서 더욱 특별한 추억을 담아낸다. 가을을 보고 느낄 수 있는 마음. 시간이 지나니 사진이 그대로 시간을 담아내듯 추억이 떠오른다. 여행은 돈을 많이 써야 행복함을 느끼는 것이 아닌 가족이 한곳에 모일 수 있는 시간과 장소, 한 끼 식사 정도만 있어도 값진 추억을 얻어 올 수 있다. 여행비를 지원받을 공동체가 있다면, 적은 비용으로 참여할 수 있는 곳을 찾아서 여행을 떠나보자.

많이 벌수록 욕심의 무게는 더 무겁지만 사치성 소비가 아닌 투자이기에 오늘은 작은 것에 만족하고 아이들이 컸을 때 자신이 원하는 것을 하도록 많이 저축하자. 소비를 부추기는 사회 너무나 빠른 아이들. 현명한 소비가 필요하다. 경제교육은 필수 항목이다. <마시멜로 이야기> 만족 지연 실천하자.

※ 참고: 마시멜로 이야기 저자:호아킴 데포사다, 엘렌싱어 출판사: 한국경제신문 2005.10

홍콩 마카오 여행

행복했던 순간 신앙을 느꼈다. 2019.01.25

결혼 9년 차 남편과 홍콩 마카오 여행을 다녀왔다. 직원복지 측면에서 원장님께서 1인 경비를 지원해 주셨다. 아이들을 어머님께 맡기고, 둘만의 여행. 김대건 신부님의 발자취를 따라 걸을 수 있고, 매일 미사를 드리는 의미 있는 시간이었다. 자신의 생명을 내어줄 수 있다는 건 참 멋진 일이 아닌가. 관광지를 걸으며 자연을 느끼고 에그 타르트를 먹을 수 있는 지금이 천국이 아닐까.

다양한 문화를 경험하고 관광지 도시, 부자와 빈자 격차 큰 나라. 집 마련과 자동차를 쉽게 살 수 없는 나라. 차를 사면 번호판을 그냥 주는 나라와 번호판을 사는 나라, 우리가 가진 것에 감사함과 그 차이를 느끼게 된다.

1년에 2번 이상 해외여행과 국내 여행을 다니며 행복을 찾는다. 여행은 연속적인 행복을 찾는 대신, 일상이 모두 여행지란 느낌으로 행복을 찾아보자. 카지노와 같은 헛된 희망을 품고 소비에 빠지지 않고 자신이 가진 것을 나눌 줄 아는 행복을 느껴보자.

코로나로 여행을 떠나지 못한다는 걸 알았던 것처럼 10주년 여행을 미리 보내주셨다. 다녀오고 난 뒤 코로나가 시작되었을 땐 신종플루나 메스같이 내겐 먼 이야기로 여겼는데, 주변인 중 코로나로 돌아가신 분을 볼 때면, 마음이 먹먹해진다. 갑자기 맞이하는 이별처럼 오늘이 마지막인 것처럼 기쁘게 살아야 한다. 착한 마음을 가지면, 악인의 먹잇감이 될 수 있기에 자신의 권리를 지켜낼 힘을 가져야 하듯, 세상으로부터 자신을 지켜낼 힘을 가져야 한다.

누군가의 삶으로 들어간다는 것은 어려운 일이지만, 더불어 살아가는 좋은 지역사회를 만들기 위해 나눔을 실천할 수 있는 게 무엇이 있을지, 묻고 질문하고 할 수 있는 하나씩 해나간다. 하루에 딱 하고 만들어지는 것이 아닌, 함께 만들어 가는 것이 아닐까. 내 삶에 신앙이 들어와 나눌 수 있는 마음이 생겨난 것처럼…

성지순례는 그분들이 살아낸 발자취를 느끼며, 신앙의 선조에게 부끄럽지 않도록 잘 살아가려 한다.

1년 한번은 성지방문을 하면서 신앙을 다시 점검해 보는 시간을 가지며, 재정비하는 마음가짐을 갖게 된다. 불평의 말을 줄이고 감사의 삶을 살아야겠다.

안식처가 있나요?

퀘렌시아는 Querenia 스페인어로 안식처라는 뜻이다. 스트레스와 피로를 풀며 안정을 취할 수 있는 공간 회복의 장소이다. 세상의 위험으로부터 자신이 안전하다고 느끼는 곳, 힘들고 지쳤을 때 기운을 얻는 곳. 본연의 자기 자신에게 가장 가까워지는 곳이다.

문제들을 내려놓고, 온전히 나 자신이 되었으며, 마음의 평화를 찾았다. 나만의 치유의 공간 퀘렌시아는 도서관, 책, 아파트 정원, 자연 소리. 성당. 집, 가족, 혼자라 생각할 때 밥 한번 먹자고 한 사람. 진심으로 걱정 해주고 격려하는 이들이 있어 행복하다.

답답함을 담배로 풀었고, 고삐 풀린 망아지 마냥. 밥 먹는 것도 잊은 채 그렇게 살았다. 여자가 담배를 숨어서 피운다는 것은 타인의 시선에 자유로울 수 없다. 과거도, 현재에도 당당히 피우는 분들도 있지만, 술에 비해 차가운 시선으로 선입견으로 바라본다.

담배는 답답한 상황을 연기를 마시며 뱉을 때 속을 뻥 뚫리게 하는 마법처럼 순간의 시원함을 준다. 그러다 중독으로 끊기 어렵게 된다. 현실은 바뀌지 않지만, 항상 불안하며 이러면 안 되는데 하는 양심의 가책이 느껴진다. 한번 형성된 습관은 어릴 적부터 만들어진 것이라 더욱 끊어내기 어렵다.

한 번의 호기심은 끊어낼 수 없는 굴레를 만들고 계속 이어진다. 미친 듯이 달려보니 이젠 흔들리지 않게 되었다. 아이들은 부모의 거울이라고 한다. 어쩌다 보니, 과거의 행동을 자녀들이 들었다. 남편은 수영을 잘하고 싶어서 담배를 끊고 나니 폐활량이 좋아지고 속도가 향상된다. 보통 담배와 술은 병이 찾아올 때 강제로 끊는다. 40대가 되면 몸을 책임져야 하는 시기이다. 남편과 술로 싸우는 일이 잦아지고 있다. 과하지 않는다지만, 스트레스와 피로감을 술에 의존하며 습관으로 형성된다.

아빠는 오랫동안 담배를 피우고, 술은 많이 드시진 않는다. 고단한 노동자 삶을 사셔서 피로감과 함께 술이 더해지면 만취 상태로 길에 쓰러져 주무실 때가 많았다. 몸에 현금을 지니고 있었기 때문에 돈을 훔쳐 가는 사람도 있었다. 열심히 번 돈을 잃었을 때 느낌은 어땠을지 떠올려 보게 된다. 고등학교 다닐 때 아빠는 지인들에게 휩쓸려 도박에 손을 대셨다. 무언가에 홀린 듯 짜고 치는 판에 당할 재간이나 있을까. 2주 만에 2천만 원을 잃고서, 한참을 집 밖으로 나가지 못하셨다. 학교 선생님이 학비 지원을 받을 수 있도록 글을 써주셨다.

만약 그때 선생님이 관심 써주지 않았다면 부모님이 혼자서 어려웠다. 헛된 욕망이 나쁜 마음을 가진 자에게 돈이 흘러갔고, 잃은 돈을 생각하자 우울증이 생겼다. 다시 일을 시작하기까진 몇 달이 걸렸다. 지인 친구는 인터넷 도박을 해서 2억 원을 땄다. 운이 좋아서 한번 따는데 맛을 들이면 다시 반복하게 된다. 돈을 따는 사람보다 잃는 사람이 많은 게임. 사람들은 복권, 코인, 주식, 인터넷 게임에 열광한다. 한 번의 경험이 좋은 기운을 만들기도 하지만, 또 다른 인생으로 이어지게 만든다. 어떤 인생을 살아야 하는지 스스로 선택할 수 있다. 돈을 버는 목적은 모이기 위함인지. 아니면 쓰기 위한 것인지. 헛된 욕망의 빈자리를 메우려는 소비가 아닌지 우리의 마음을 어떤 걸로 채울 수 있는지 찾아보자.

과거에는 스트레스를 푸는 방식이 담배나 술이었다면, 가는 곳을 바꾸게 되면서 보이는 시각까지도 변하게 된다. 내게 치유의 장소는 성당이 되었다. 관계의 어려움을 겪었을 때, 묵주기도로 기도하던 습관에서 책도 함께 읽게 되었다. 생각은 비슷한 사람들을 끌어당긴다. 그들이 겪었던 아픔, 삶을 이어가는 과정들. 어려움을 마주하게 되면서 어떻게든 극복해야 한다. 넘어질 때도 있었지만 다시 새로운 희망을 얻었다. 누군가의 경험이 또 누군가에겐 빛의 길로 이끌기를 바라며 글을 쓴다. 각자 자신만의 방법으로 회복 시켜줄 장소를 찾아보자. 글에는 치유의 마법이 있다. 내 마음을 잘 모르겠다면 어떤 책이든 읽어보자.

당신만의 퀘렌시아를 만들어 스트레스가 내게 침투해도 빠르게 극복해 낼 나만의 방법을 찾아보자. 사람들이 던지는 상처 되는 말이 가슴속 깊이 독화살로 박혀버렸다. 빠르게 뽑아야 한다는 걸 인지하지 못하고 살았다. 남들이 내 삶을 대신 살아주지 않는다. 스스로 지켜낼 힘을 기르고 회복 탄력성을 강화하자. 세상엔 선한 사람도 많다. 20대에 내 말을 들어주고 밥을 사주는 이가 있었다. 들어주고 웃어준 이가 있었기에 지금 내가 있었듯, 받은 사랑을 돌려주려 한다. 누구에게나 힘듦은 순서 없이 오기 마련이다. 빠르게 그 시간을 빠져나온 사람이 있었듯 지나가는 과정일 뿐 이겨내고 좋은 날을 꿈꿔보자. 이 또한 지나가리라.

딸의 교육비 줄이기.

초등학교 1학년을 맞이. 2019.01.09 or 2023.02.20 지나온 시간을 거슬러 돌아보면, 과거가 일어난 이유를 좋은 답을 찾는 과정을 거치며. 엄마의 실패한 인생 경험이 두 딸을 더 나은 방향으로 키워낼 수 있다. 처음 겪어내는 엄마의 위치와 책임과 의무감은 돈으로 사교육비를 감당했다. 첫째를 키워낸 패턴대로 둘째를 키울 것인지 새로운 방법을 바꿀 것인지 끊임없이 고민하며 수정했다.

사교육을 시키는 데에는 이유가 있어야 돈을 쓰는데 아깝지 않다. 두 딸에게 다양한 재능을 만들고 있다. 미술, 공부방, 영어, 줄넘기, 피아노, 독서, 구몬 학습, 처음부터 많이 시키려던 건 아닌데, 욕심이 불어나 월급에 반 이상은 학원비로 나갔다. 코로나 시기 3개월간 학원을 쉬며 할머니 댁에 머물렀다. 사교육비 0원의 느낌은 강력했다. 코로나가 전 세계를 멈추게 했듯, 상황에 따라 돈의 사용처가 바뀌기 마련이다. 남을 위한 소비가 아닌, 우리 가족을 위해 돈을 통제하고자 사교육비와 보험금을 줄이는 행동으로 옮겼다. 부모의 선택이 돈을 쓰기도 하고 줄여나간다. 갑자기 줄넘기 학원에서 두 자녀에 5만 원 인상은 방과 후 줄넘기로 옮겼다. 비용 부담하는 공부방에서 아동센터로 선택하게 되면서 한글과 수학, 영어, 바이올린 따뜻한 밥과 사랑을 주는 곳이었다. 돈 하나 들지 않는 게 신기했다. 많은 분의 후원으로 아이들을 키워주는 세상은 살만했고, 따뜻했으며 아이를 혼자 키우며 전전긍긍하지 않아도 된다는 것을 알게 되었다.

우리가 받는 사랑을 어떻게 나눠 줄 수 있을까. 사랑은 돌고 돈다. 받은 사랑을 나누며 살고 싶다. 사교육비가 줄어든 만큼 조금씩 기부한다. 아이들이 받아 오는 것이 많다. 생활비가 줄어든 만큼 적은 금액이지만, 나눔을 실천하며 살아간다.

어른으로 살아낼 아이에게 정형화된 학습이 아닌, 평생 함께할 다양한 재능을 만들어 주면 어떨까. 음악, 미술, 체육, 꾸준히 시킨다는 건 힘들지만 참 가치 있는 투자였다.

적은 월급도 부자 된다.

월급이 적다고 불평만 하면서 살 것인가? 우리는 부동산 살 때 가격이 저렴한 아파트를 찾는다. 내가 살고 싶은 동네의 대장주가 아닌, 적당한 가격의 비용으로 수리하면, 선택의 폭은 좁아진다. 휴지 하나 살 때도 꼼꼼히 따져보는 사람도 있고, 비교 없이 구매한다. 집을 살 때 비용을 줄이기보다 장기적인 관점으로 가격이 높은 부동산을 선택해 불필요한 지출을 줄여보자.

적은 월급으로 할 수 있는 것은 목돈 마련이다. 돈을 어떻게 사용해야 할지 고민한다. 오늘 무엇을 먹고 필요한 생필품을 산다. 한정된 재화 안에서 통제한다. 아낀 돈은 목돈을 만들고 투자하며 돈이 불어나게 만든다.

가정마다 자주 소비하는 특정 품목이 있다. 어디서 소비하는지 알 수 없고, 많이 쓴 것 같지 않은데 돈이 사라졌다면 꼭 필요한 생존 소비만 하고 그 외에는 다음으로 미뤄보자.

오늘 너무 많은 돈을 쓴다면 미래에 쓸 돈이 사라진다.

돈이 줄어들지 않게 통제하자. 나에게 더 좋은 선택지란 대출금 상환을 목표로 한다. 통장은 한 달의 삶이 한눈에 보인다. 지나간 행동을 다시 되새김질한다. 마음은 온통 대출 갚고 싶단 생각으로 가득하다. 3년의 목표는 더 많은 금액을 갚게 만든다. 2년의 시간이 남았다. 언제 다 갚지 하던 대출금 8천만 원으로 떨어지니 신난다. 먼저 돈을 선점하고 사용하니 적은 예산으로 살아진다.

남은 대출금의 영원히 바뀌지 않을 것 같던 숫자가 깨지고, 빠르게 갚고 싶은 간절함이 생겼다. 만약 명품 가방이 갖고 싶다면, 내 손에 들어오기 전까지 계속 머릿속에 아른거린다. 대출금 갚는 것은 소비할 때의 느낌과 비슷했다. 다른 투자처가 많지만 실패하지 않는 가장 큰 수익률이 대출 상환이라 생각하고 빚을 갚는다.

잃지 않는 투자란 손실을 줄여가는 것이다. 빈 구멍을 메우는 가장 확실한 방법인 빚 갚으며 가짜 자산을 진짜로 만드는 작업을 한다. 빚이 많은 상태로 투자를 길게 가기 어렵다. 부채 줄이려고 노력하자. 비싼 옷과 가방은 시간이 지남에 따라 가치가 떨어진다. 오래 묵힐수록 돈을 불려주는 투자를 찾길 바란다. 각자 맞는 투자는 따로 있다.

우리 집 대출금을 갚은 행동력을 보고 사람들이 놀란다. 혼자 쓰기에도 적은 월급이지만, 스스로 먼저 통제하니 돈이 모이기 시작했다. 만약 행동을 바꾸지 않았다면, 돈을 통제하지 못했을 것이고 빚이 줄어들지 않았다. 적은 월급이라면, 더 빠르게 빚을 갚거나 저축으로 부자 되기에 열을 올려보자.

무급과 유급 사이

세상은 공평하게 주어진다. 월급이 많은 사람이든 적은 사람이든 은퇴 시간은 어김없이 찾아온다. 월급이 많은 사람과 월급이 적은 사람. 버는 수입에 과도한 지출은 미래의 삶이 돈 걱정으로 어려움을 겪으며, 추운 겨울을 보내게 된다. <개미와 베짱이> 개미처럼 위험을 대비할 수 있어야 하지만, 현실은 베짱이처럼 소비에 빠져 노후 준비 부족으로 이어진다. 개미처럼 준비된 사람으로 변했다.

내가 버는 돈에서 적게 소비할 수 있게 노력하고 몸값을 높여야 한다. 한 명의 월급에 만족하며 남편에게 의존하기보다 다양한 파이프라인 소득을 늘린다.

남편 월급과 유급 급여, 월세소득(육아휴직 11개월, 실업급여 8개월, 월세 등 노동 소득->유급 소득) 우유배달 4곳에서 들어온다. 명절 선물로 우유업체 4곳에서 다양한 선물을 받는다. 한 개보단, 다수가 좋다. 이자소득과 마케팅, 실손 보험금 환급 등에서 돈이 들어온다(앱테크 등, 카드 포인트 등). 소비할 때 유용한 포인트를 쌓아서 물건 구매할 때 적은 금액으로 구매할 수 있다.

설문 패널 활동으로 좌담회 3회 참여로 비정기 소득이 생긴다.

지역 화폐를 충전해서 현금을 만든다. 10% 이자 매력에 빠지면, 카드 수를 늘려 현금을 만든다. 플러스 수입과 다른 사람을 통해오는 물질에 감사한다.

여행 경비, 자동차, 외식비, 등 무료로 지원받은 만큼 절약한다. 당신에게는 돈을 주는 사업체가 있나요? 책에서 사업을 하라는 의미를 남편이 사업을 시작하지 않았다면 몸으로 체감할 수 없다. 월급에서 많은 금액을 빼가는 것이 아닌, 돈을 넣어 줄 수 있는 시스템을 만들자. 노동 수입의 한계가 있다. 모임을 하면서, 무급과 유급에 관한 노동력, 자동차 사고에 따른 비용, 여행 경비, 등에 관한 이야기를 전달한다.

작년 10월에 주차 중에 방지턱 사이로 바퀴가 들어가는 바람에 벤츠 차량을 박는 사고를 냈다. 320만 원 비용은 보험사에서 해결했다. 11월에 남편 차를 대신 운전하다 사고를 당했다. 회사 임원으로 등록되어 있어 자차 부담 회사에서 30만 원 냈고, 보험사에서 랜드로버 운전자에게 일 천만 원 가까운 돈을 지급했다. 렌트계약에 따른 패널티는 부가되지 않는다. 개인이 감당해야 한다면, 엄청난 손실이 있었을 것이다. 살면서 수입차와 연속적인 사고가 일어날 수 있을까.

만약 사업체나 함께하는 공동체가 없다면, 스스로 만들거나 속해 보길 권한다. 놀이공원 연간권 대신, 성당과 아동센터를 통해 무료 체험을 다닐 수 있다. 부모가 모두 채우려면 금전적, 신체적 한계가 있다. 돈이 모이지 않는다면 무엇을 소유하고 있는지 점검하자.

시에서 제공하는 여행과 무료 학습 프로그램과 적은 비용들이 많다. 자신이 비용을 내지 않아도 좋은 혜택의 서비스를 받을 수 있다. 적절히 활용해 보자.

노동력의 한계는 누구에게나 오기 마련이다. 미리 준비하고 가뭄에 대비하는 자세가 필요하다. 돈을 가져오는 시스템이 절실한 이유이다. 누구나 건물주가 되는 꿈을 꾸듯 현금 흐름을 만들자.

숨겨진 보물 발견하기

<더 해빙> 책을 읽을 땐 막상 몰랐는데, 시간이 지나고 난 뒤 깨달아진다. 살면서 습관적인 말을 하며 산다. 할 수 없다. 돈이 없다. 내 주제에 무슨. 집은 비싸다. 집 살 돈이 있어야지. 성공할 수 없다. 부자 될 수 없어. 젊은이들은 8포 세대라고 하더니 하나가 추가된다.

연애, 결혼, 출산(3포), 취업, 주택(5포), 인간관계, 꿈 희망 (7포) 건강(8포), 외모 (9포 세대)

부자가 되기 위해 절약해야 한다. / 절약하지 않아도 된다는 두 가지 입장이 있다. 실제는 부가 없는 상태에서 허울만 번듯해 보이는 식의 부자. 속 빈 강정과 같은 부자를 원하진 않는다.

무에서 유를 만드는 것 각자의 재능으로 만들어 간다. 경험에 근거하여 이야기를 풀어 간다. 이것이 맞다. 틀렸다는 관점은 각자 자신에겐 맞을 수 있고 틀릴 수 있다. 스스로 해보지 않고는 알 수 없다. 참고하여 자신에게 맞는 방법으로 만들어 갈 뿐이다. 20대의 불안은 각자 직업을 선택하는 두려움이 따른다. 연애의 끝은 결혼이고, 결혼은 곧 현실에 마주하는 상황에 따른 좌절의 시작점이 되었다. 친구와 동료와의 비교에 자유로울 수 없었던 시간이 현재의 나를 만든 건 아닐까? 이미 성취감을 맛본 자와 그러지 못한 자와의 비교는 나쁘지 않았다. 비교에 따른 스트레스는 성장 동력이 되어 원하는 것을 이뤄낼 수 있다.

책을 쓴 저자들은 모두 어려운 상황을 지나 원하는 걸 이뤄낸 사람이다. 만들어 낸 결과물만 보며 쉽게 이뤄낸 것처럼 착각에 빠진다. 그들 또한 초보 시절이 있었다는 걸 알면서도 쉽게 무언가를 얻으려고 한다. 각자 직업에 따른 임금 차이는 빨리 가는 사람과 늦게 도달하는 상황이 다를 수밖에 없다.

돈을 많이 번다고 해서 그들이 사치스럽다고 단정할 수 없고, 돈을 가진 이는 나쁜 사람이라고 할 수도 없다. 부를 가진다는 건 누군가를 도와줄 부의 그릇이 생긴 것이다. 그런 마음에서 나 역시 그렇게 되길 꿈꾼다. 많은 사람을 돕고 싶단 꿈을 향해 걸어가는 중이다.

어디로 도착할지 아직은 알 수 없지만 지금 할 수 있는 최선을 실천하며 산다. 불평보단 행동하는 사람으로 부족하지만 좀 더 나은 사람이 되고 싶다. 혼자서는 불가능하지만 함께라면 가능해진다. 나를 믿어준 남편을 만난 것과 같은 기적처럼 어제의 나와 다른 미래의 나와 경쟁한다. 타인과 비교하며 강한 자극받던 때도 있었지만 자신과 대화하는 걸 좋아한다. 나의 자아는 바른 소리를 할 땐 얄미울 때가 있지만, 그럼에도 바라보기 시작할 때 든든한 친구가 된다. 내면이 전하는 쓴 소리에 귀 기울여보자.

각자 출발선은 똑같이 아기에서부터 시작한다. 집안 환경 따라 가진 자본의 차이가 있다. 인적 자본의 크기 또한 다른 것처럼. 타인과 비교하며 좌절하지 말자. 시작부터 공평하지는 않은 게임이지만 각자 돈을 대하는 태도에 따라 소비 습관에 의해서 돈이 모이기도 흩어지기도 한다.

어린 시절 공부를 안 했으나 돈 욕심은 남달랐다. 타고난 고집과 끈기 생활력 강함과 도전 정신은 아빠를 닮았다. 결혼 후 일을 갖게 되면서 가정 경영자로(14년) 돈 관리에 대해 고민하고 책의 영감 받고 행동에 옮겼다.

남편이 회사 경영자 (4년) 업무적인 스트레스로 머리 아파한다. 말일이 되면 예민해진다는 걸 이제야 알았다. 둘은 똑같은 고민을 했다. 가정과 회사만 다를 뿐. 말하지 않으면 그들이 힘듦에 대해 알지 못한다.

돈이 없는 상태에서 빚으로 모든 걸 했다. 빚을 자산이라 착각하며 키우고 있었다. 실패들이 모여 4호 집을 만들었다. 모든 실패에는 이유가 있고, 어떤 과정을 만들려고 일어난 사건이 있다. 생각해 보면, 마지막 4호 집을 사는데, 3채의 지렛대가 필요했다. 한번에 들어 올릴 수 없다면, 소비 대신 자산을 구매해 지렛대로 활용하자. 빚으로 짊어진 부채가 와르르 무너질 수도 있었지만, 7년 만에 모든 빚을 갚아내고, 8천만 원이 남은 건 기적에 가깝다. 하늘에서 허락된 힘으로 변했다. 무언가에 홀린 듯 이끌려 실행에 옮긴 행동의 결과였다. 새로운 사람이 되어 변했다.

빠른 판단과 행동으로 옮겨 나갈 것. 해보지 않고 포기하기보다 무엇이든 행동하자. 새로운 도전과 새로운 시각의 변화는 덤으로 따라온다. 돈을 물려주는 대신, 재능을 키워주고, 아빠에게 배운 자립과 인내를 선물로 준다. 무에서 유로 만들어 가는 재미가 있다. 성취감을 맛보며 성장과 함께 자존감이 높아진다.

누군가에게 변화를 돕는 멘토가 되어주는 것, 나도 했다면 당신도 할 수 있다. 월급의 크기에 구애받지 않고, 돈을 효율성 있게 관리하자. 돈을 잃고 투자에 실패하고 잘못된 것에 빠져 가진 것을 잃고 헤매는 사람이 줄어들면 좋겠다. 불가능하다고 멈추기보단 할 수 있음에 집중하고 없다는 생각보다 내 안에 있는 재능을 하나씩 찾아서 사용해 보자. 타고나는 재능보다 발견하고 오랫동안 만드는 것이 내 안에 오래도록 발전하고 성장해 간다.

하느님께선 내게 보물을 숨겨 놓으셨다. 흙 속에 숨겨진 보물을 캐내고 다듬어 나가라는 깊은 뜻을 이제야 조금 알게 된다. 06년 성당 가게 된 것은 기적이었다.

불가능을 가능하게 하는 힘은 내 안에서 하느님과 함께 만든다.

첫째 딸은 새벽 복사하며 쌓아나간 믿음처럼 큰 힘과 용기로 자란다. 아빠와 함께한 복사의 추억이 있다. 하느님과 가까워지고 영성과 함께 키가 쑥쑥 자란다. 믿음의 가정으로 받은 사랑을 나누며 살아간다. 믿음의 유산을 선물로 주기 위해 노력했다.

당신 안에 많은 보물이 숨겨져 있다. 없다고 생각했는데, 스스로 발견하고 발굴해 나갈 때 있음에 집중해 나갈 수 있다. 나만의 달란트를 만들어 내면 좋겠다. 가진 달란트를 나누며 살자.

※ 참고: 더 해빙 저자:이서윤, 홍주연 출판사: 수오서재 2021.11.18.

새로운 프레임을 갖자.

누군가가 만든 프레임과 내가 만들어 놓은 프레임에 갇힌다. 이건 안 돼 라고 한계를 이미 그어 버린다. 두려움에 사로잡힐 때면 할 수 없음에 집중하고 할 수 없는 이유만 계속해서 만든다. 못할 이유가 없고 가질 수 없는 건 세상에 없다. 오랫동안 우리 집엔 자동차 없어도 돼 라는 프레임을 만들었다. 40대가 되기 전까지 운전하겠단 목표로 프레임을 깨기로 마음먹었다. 솔직히 처음 차를 몰았을 땐 무섭고 두려웠다. 2년이 지난 지금도 늘 같은 길을 가는데도 두려움에 사로잡힐 때가 있다. 초보들이 하는 아찔한 실수로 위험한 순간이 있었다. 유턴하다가 브레이크로 착각해서 과속으로 발이 갔다. 가드레인 직전에서 멈췄을 때 안도감과 부끄러움과 사고가 나지 않아서 감사했다.

서투른 운전에 혹시나 누군가에게 폐를 끼치면 안 된다는 마음에 포기했다면 아직도 운전하지 못한다. 주차가 서툴러 차를 못 뺄 때면, 지나가는 분께 도움을 요청한다. 주차하다 P에 있다고 착각하고 차가 바르게 주차되었는지 확인하느라, 문을 열다가 몸이 반쯤 나와 있는 상태로 D 설정으로 차가 움직여 몸과 다리가 끼여 차를 움직일 수 없는 급박한 상황에 긴급하게 사람을 부를 용기, 바쁘게 가셔야 하는데 멈춰서 도와주셨다. 만약 혼자였다면 다리 통증은 말할 수 없었을 것이다. 모든 건 혼자서 이룬 게 아니었다. 긴급한 상황에 도움 주는 이들이 있어서 빠져나올 수 있었듯이 재정을 극복하다 보니 나만의 재능이 만들어졌다.

처음엔 당연히 어려울 수밖에 없다. 각자 자신을 삶을 어떤 형태로 바라보느냐에 따라 결과는 달라진다. 늘 타인에게 불평하지 않고 새로운 관점으로 바라보려 노력했다. 한 가지 직업으로 머물지 않고, 새로운 도전은 계속 이어진다.

우리는 월급에서 한계를 긋고 있었다. 무한한 급여를 받을 수 있는 능력을 개발하고 새로움을 추구해야 한다는 깨달음을 얻는다. 이미 타인이 만들어 놓은 프레임을 과감하게 벗어 던질 수 있는 용기가 있다면 좋겠다. 마음만 먹고 실행에 옮기지 않는 사람. 타인이 설정해 놓은 보험, 카드, 주식, 코인 등의 프레임을 걷어낼 수 있는 부를 가져야겠다. 과감하게 용도를 변경하여 목적지를 바꿀 수 있다. 타인에게 맡겨둔 채 그들에게 이끌려 나갈 것인가? 자신의 삶을 주도적으로 이끌 것인가? 선택은 자유다.

자본주의 사회에서 게임의 규칙을 알고 반드시 시작해야 한다.

더 많은 돈을 벌기 위함도 있지만 나를 위해 일할 수 있는 시스템, <파이프라인 우화> 책을 보면, 노동력으로 일을 할 것인가? 나를 위해 일해 줄 시스템을 만들고 가꾸어 나갈 것인가? 선택해야 한다. 부정적인 생각들은 긍정으로 바꾸고 돈을 바라보는 관점을 수정하자. 없음에 집중하지 않고 있음에 감사하며 많은 돈이 머물 수 있는 환경을 만들고 나가는 돈과 많은 돈이 들어올 수 있는 길을 마련해 놓자.

책은 내가 생각해 보지 못한 새로운 길을 알려준다. 낯선 길을 걸어가듯 새로운 사람을 만나서 변화를 돕는다. 혼자서 걷는 것 보다. 함께 걸을 땐 즐겁게 나아갈 에너지가 생긴다.

※ 참고: 파이프라인우화 저자:버크 헤지스 라인 2016.01

성공으로 가는 길

모두 출발선은 똑같이 시작한다. 금수저 흙수저 계급의 선택은 우리의 몫이 아니다. 배경 탓만 하고 살아갈 것인지 우리들의 선택에 따라 상황은 역전되고 바뀔 수 있다. <토끼와 거북이> 경주에서 거북이였고 좌절의 순간이 있었지만, 포기하지 않고 도전하며 성공을 향해 묵묵히 나아간다.

어린 시절에는 막연하게 부자를 꿈꿨고 방법을 몰랐기 때문에 돈을 벌면서, 잘못된 소비 습관이 자리 잡혀 `돈은 쓰는 것이다. ` 라는 신념을 갖는다. 부자의 길과 반대로 했다. 공부를 잘하고 월급이 많은 직업을 가져야 부자가 되는 것은 아니었다. 똑같은 봉급자의 삶이라도 월급의 크기는 저마다 다를 수밖에 없다. 한 달 월급에서 각자 무엇을 사는지가 부자와 빈자로 나뉜다. 부자들은 목돈을 모으고 불리기를 잘한다. 작은 돈으로 나무를 심고 자랄 때까지 나무를 베지 않고 기다릴 줄 안다.

세입자와 함께 부동산 소유를 하고 시세 차익을 보고 전세금 상승이나 월세 인상 등으로 인해 더 큰 돈을 만들고, 돈을 다시금 뭉칠 줄 안다. 소비하는데 관심보다는 또 다른 투자처를 찾기 위해 끊임없이 공부한다. 아직 성공의 궤도를 맛보지 않았기에 일찍 샴페인을 터트리지 않는다. 새로운 경험을 한다는 건 새로운 시각과 또 다른 길이 열린다. 두려움은 있지만 모험을 떠난다. 시작하는 것에 대한 공포심은 있지만 그것을 즐기며 이겨낸다.

남들이 가는 길만을 바라보지 않고 부자가 가는 길을 따라가며 자신만의 길을 만든다. 경제적 자유로 가는 길을 동경한다. 일해야 돈 번다는 신념을 깨고 나대신 월급을 가져오는 월세형 부동산 시스템을 만들고, 좋아하는 일을 하면서 돈을 번다는 건 멋진 일이다. 그 길이 작가로의 삶이라면 한번 해보자. 처음은 서툴고 부족하더라도 누군가에게 힘이 되어준다.

똑같은 시간이 주어졌는데, 학창 시절 공부 못한 것이 적은 연봉으로 이어진다. 적은 월급에도 굴하지 않고 열심히 목돈을 뭉친다. 월급 비교 말고 자신에게 맞는 투자와 저축과 소비를 하자. 돈의 크기는 자신의 마음 크기에 따라 만든다. 처음 내 집 마련 전에는 전세 살아도 좋았지만, 자산을 점차 늘려가니 돈의 크기는 무한대로 커간다. 사업한다는 남편을 말렸지만, 늘 하던 일에서 새롭게 사업체 키우는 도전, 직장인의 시간에서 법인 업체를 만드는 과정 마흔의 빛나는 인생으로 살아낸다. 사업체를 점차 키워가는 남편이 부럽다. 남편에게 의존하지 않고 나만의 직업을 만들어 성공하고 싶다. 남편이 만들어 낸 것이 부럽다면 나만의 멋진 사업체를 만들고 싶은 자극이 생긴다. 언젠가는 만들어 놓은 결과물을 보고 부러워하는 이들이 있겠지. 꿈은 하나씩 성취하는 맛이 있다. 포기하지 않고 앞으로 나아간다면, 또 하나의 성취감을 맛보지 않을까 하며 기대한다.

욕심은 화를 불러온다.

늘 내 생각으로 행동을 바꾸지 못하고 타인에게 끌려 다니는 삶을 살다가, 답답함을 가지고, 보험을 해지할까? 오랜 고민으로 빚 갚기까지 시간이 필요했다. 3채의 집을 사면서 빚은 눈덩이처럼 불었다. 욕심 크기만큼 대출의 규모가 커졌다. 그렇게 우리에게 대출금이 고정비로 둔갑한 채 살다가 보험료가 월급을 통제하며 주인 행세했다. 늘 답답했다. 어디부터 잘못된 걸까? 행동을 바꾸지 못하고, 고민하며, 시간을 보냈다. 성공하고 싶다는 욕망은 헛된 꿈을 꾸며 욕심을 부려 상가 투자하려고 연금저축 중도 인출을 받았다. 있는 사람은 더 악랄했다. 건물주는 계약서에 없는 1천만 원을 요구했다. 신용과 담보대출로 최대치까지 당겨서 투자로 우리 가정을 벼랑 끝으로 밀어 넣었다. 남편 사업을 앞두고 있는데 사업에 필요 자금과 많은 빚을 가진 것이 불리한 상황일 수 있다. 두 사람의 신용 대출을 권유하는 모습에 경악했다.

지점장님께 건물주의 무리한 요구에 대해 자세한 상황을 설명하며 부족한 자금으로 계약이 어렵다는 뜻을 전달했다. 대출한도 부족으로 대출 실행이 어렵다고 지점장님께서 대신 건물주에게 전달하셨다. 시행사 분께 건물주의 행동에 대해 말씀을 드리고, 아는 지인에게 90% 대출을 감행하면서까지 무리한 계약을 권유하지 않는다고 하시면서, 동생이었다면 말리고 싶었다고 하신다. 이미 계약할 사람이 있는데, 우리가 어리숙해 보였는지 그 자리로 끌어들였다.

⁝ 내 마음을 돌려놓고 방향을 바꾸게 하셨다.

힘들게 번 소득을 대가 없이 드릴 뻔했다. 그 순간에도 많은 고민 끝에 불합리함을 응하지 않는 대신 업주에 관행을 말하며 계약을 포기하며 돌려받은 돈으로 빚을 갚았다. 알아서 잘해준다고 믿으면 안 된다. 어리석은 욕심에 욕망을 뛰어넘고 모든 건 한순간에 무너질 수 있었다. 그 순간에도 내 마음을 돌리시는 하느님의 손길에 감사를 드리게 된다. 잘못된 길을 걸은 후 오랜 고생을 겪고 난 뒤 후회하는 대신. 빚 갚는데 몰입하기로 했다.

빚을 갚기 전엔, 월세 40만 원을 은행과 나눠야 했다. 한두 번의 빚 갚는 행동을 반복 해나가니 빚이 줄어드는 재미가 생긴다.

자꾸 돈을 만들 방법을 연구하며, 집에 있는 저금통이며, 여기저기 흩어진 돈을 한 자리로 불러 모이게 하였더니 우리에게 불필요한 것이 많았다. 그러면서도, 늘 없다며, 한탄만 하며, 살았다. 각 가정에 있다는 인식을 하지 못하며 없다고 외치지만 왜 없는지 파악해야 한다. 빚진 건 나인데. 돈을 갚으면, 아깝다고 생각했다. 은행에서 정 한대로 갚는다. 실수로 1회차 추가 상환했다. 실수로 누른 거라며 은행에 다시 돌려줄 수 없냐고 물었다. 예정에 없던 돈이 사라져 황당했다. 몇 년 뒤 경험은 사라지지 않았다. 실수로 빚 갚던 패턴처럼 빚을 갚기로 했다. 일단 먼저 빚 갚고 어떻게 되겠지. 하는 마음이 나를 변화로 이끌었다. 없으면, 없는 데로 절박하게 살아졌다. 반복되는 행동으로 9개월 만에 8천만 원의 빚을 갚았다.

은행에서 정해진 대로라면, 만기는 20년 넘게 남을 텐데. 보험 해지 환급금, 퇴직금, 사업 자금 등이 모여서 하나로 뭉쳐져 기적을 이뤄낸 것이다.

행동을 파악하면, 마음만 먹으면 돈을 모을 수 있다. 마음의 문제일 뿐. 빚은 이자라는 압박감을 이용해서 많은 돈을 만들 수 있는 간절함을 갖게 된다.

빚을 어떻게 활용하느냐 따라 자산을 크게 형성해 나갈 수 있다. 부자는 작은 돈도 의미 있게 쓴다. 자산이 형성된 것만 봐도 든든하고, 돈이 불어날 시스템을 마련하기 위해 고민한다. 돈을 소중히 생각하지 못했던 시간이 지나서, 돈이 머물 수 있는 환경을 만들어 준다. 좋은 사람에게 끌리듯 돈은 주인을 찾아온다.

꼭 필요한 투자는 과감하게 실행한다. 줄일 건 줄이며, 절약하고, 절약한 돈으로 투자 환경을 만들어 간다.

사업 자금을 모으면서, 예금과 저축했던 습관은 빚 갚는 습관을 형성해 나가고, 지역 화폐는 인센티브 저축 이자를 선지급 받을 수 있다. (10% 수익 달성) 자동으로 늘어나 쓸 수 있는 돈이 불어난다. 1배보다 8배일 때는 더 큰 돈이 만들어진다. 지역 화폐 8배까지도 만들었다. 행동이 커질수록 만들어지는 돈의 양이 커진다. 투자할 때 크게 해야 함을 경험하며 충전도 빚 갚기도 열정을 다해 행동한다. 300만원의 10%는 삼십 만원이 생긴다. 먼저 충전하고 어떻게든 해결해 나갔다. 돈이 없다고 하지 못할 이유보다. 선 실행 후 수습으로 행동한다. 약관대출을 이용하더라도 지역 화폐 충전을 감행하면서 쓸 수 있는 금액이 늘어나게 되었다.

얼마의 빚을 더 갚아 나갈 수 있을지, 나의 한계를 뛰어넘어 볼 생각이다. 통장 쪼개기 한 후 빚을 갚는다. 돈이 내게서 흩어지지 말고, 꼭 붙어 있기를 바라며, 든든한 친구 빚은 나를 성장 시키는 좋은 사이가 되어줘서 고마워. 너를 통해 자산을 만드는 기쁨을 배우게 되었어, 돈에 대해 깊이 생각하고 돈에 집중한다. 나의 태도는 변하고 있다. 돈이 머물 수 있는 환경과 그릇의 크기를 늘리고 있다. 자산을 하나둘 늘리며 파이를 키워 나갔다. 시야가 바뀐 것이다. 소비자에서 투자자 마음을 갖게 되어 아낄 수 있는 환경을 스스로 만들어 냈다.

간절함을 가지고 가난한 엄마가 아닌. 부자 엄마가 되어야 하는 강한 꿈이 있다. 처음엔 내 집 마련이 목표였고, 좋은 환경에서 다양한 재능과 공부 시켜주고 싶었다. 돈은 없지만 빚의 지렛대 삼아 돈을 늘려 나갔다. 책을 읽으며 절약하고 빚을 줄인다.

빚이 나를 사람됨을 만들었고 돈을 알게 해줬다. 갚고 싶단 간절한 마음이 빚을 모두 다 갚았을 때 비로소 우리는 많은 유혹에서 목표를 잊고 살아가고 있다는 것을 알게 되었다.

남들보다 일찍 돈을 벌어서 부자가 되고 싶었지만, 번번이 돈과 반대되는 길을 걸었다. 많은 시행착오를 겪고 잃어 봐야 그 소중함을 알기 때문이다. 보험 해지 환급금이라도 있었기에 빚을 갚을 수 있었다는 것에 감사하다. 만약 보험이 아닌, 차나 물건에 빠졌다면 건져낼 돈이 없었을 것이다.

각자 좋아하는 것들이 있다. 나쁜 소비재에 빠지면 사실 답도 없다. 현금화가 제대로 이뤄지지 않기 때문이다. 제일 좋은 건 부동산, 금, 현금 같은 것이다.

종종 로또 당첨자가 가난하게 살게 된 기사를 접하면 왜 그분은 돈을 지키지 못했는지 알 수 있다. 돈에 대한 무지함이 돈을 새어 나가게 만든다. 그래서 돈 공부를 일찍 시작해야 한다.

각자 상황에서 최선을 다하면 좋겠다. 매일 같은 일상 안에서도 새로운 변화는 시각에 따라 삶이 달라진다. 돈 이란 방향을 바꾸고 수정하며 돈이 모여들게 통로를 열어주고 머물게 한다. 그러면 자꾸 내게 와서 모여서 산다. 사랑하는 이들과 함께 사는 가족 같은 돈을 아끼지 않을 이유가 있을까. 돈 없는 설움을 겪지 않으려면 하루빨리 가족으로 모시고 소중히 다뤄보자. 내게 모여든다.

보낼 땐 기쁜 마음으로 보내고, 더 큰 돈들이 내게 모여들기 위해 돈 공부는 계속해서 해나간다.

밀알이 마음 밭에 떨어져.

첫째는 2.46kg으로 대구 중구 보건소에서 출산 지원금을 받게 되었다. 둘째는 2.9kg으로 태어났다. 자녀의 양육자에 따른 작게도 크게도 키울 수 있다. 첫째 딸은 세면대에서 목욕시킬 정도로 작았다. 돌잔치 때 9kg이었다. 작은 아이를 키우니 귀엽기는 했지만, 작다는 것이 스트레스였다. 둘째는 통통한 아이를 갖고 싶은 마음을 이루게 된다. 두 딸의 성장 비교를 자연스럽게 하게 된다.

첫째가 1학년 때 114cm에 줄넘기 시작하고 키가 조금씩 크기 시작했다. 둘째는 사랑 먹고 참 잘 큰다. 7세 줄넘기 시작할 때 120cm였다. (첫째 3학년) 21년 6월 126cm로 키가 작아 성장 주사를 맞았다. 23년 2월 142cm였다. 성장 주사 천만 원을 투자했다.

첫째는 3학년에 128였고, 둘째는 1학년 때 128cm이다. 한 사람이 더 많은 돈을 쓸 수도 있지만, 또 한 아이는 비용을 줄여준다. 하느님 안에서 자라는 우리 아이들은 예쁘게 자란다. 딸은 작은 키가 괜찮다고 했지만, 매일 바늘에 찔리는 고통에도 키가 자라게 되니 자존감이 생긴다. 작아서 주눅 들었는데 회복됐다. 적절한 때에 투자해 줄 수 있어서 감사했다.

아이를 키우는 것과 신앙을 갖는 것과 투자는 비슷하다. 처음에는 작게 시작하지만, 혼자서는 불가능하다고 여긴 것이 우주의 기운이 맞닿아 변했다. 천만 원을 쓰고 멈출 수 있었던 건 우주의 기운을 믿었기 때문이다.

믿음의 시작은 어렵게 할 수 있지만, 끝없는 노력과 기도의 힘으로 만들어야 한다. 살면서 고통을 받아본 자는 스스로 믿음을 찾게 된다. 흔들리지 않는 단단하게 뿌리박힌 절대적 믿음을 선물로 받았다. 삶의 고통을 이겨내는 방법을 스스로 찾지 못하기 때문에 하느님께 의탁하였다. 배우자 기도나, 고난 앞에 드렸던 묵주기도는 힘들 때마다 동아줄처럼 부여잡게 만든다. 정말 죽을 것처럼 빚이 무겁고 고통스러웠다. 19년도에 아버님이 아프셨고, 남편이 사업을 시작했을 때 앞이 캄캄한 두려움에 빠졌는데, 어느 날 묵주기도를 20단 바쳤던 시점을 계기로 기도했다. 틀에 박힌 형식으로 행동을 제한하게 된다. 5단만 하면 돼, 그 틀을 깨트린 것이 20단이었다. 자전거를 타고 다니던 때에도 자전거 타면서 한 손에 묵주를 들고 기도를 드렸다. 이처럼 우리들은 제한된 신념이 행동을 막아선다.

아침, 저녁 출퇴근길에 묵주기도를 드리면서, 생각이 스쳐 지나가고 빚 갚는 방법이 떠오르면 행동을 바꿔갔다. 신앙의 작은 경험들은 변화로 이끄는 힘이 있다.

한계를 긋고 하지 않았던 일들을 바꿔 놓으신다.

처음 길을 걸어갈 때 묵주 들고 기도하는 것이 멋쩍었던 시기도 있었으나, 이제는 드러내기도 하고 믿음에 대한 글을 쓴다. 우리 아이들을 키우면서 믿음은 점점 자라게 된다. 남편이 사업을 시작하기 위해 권유했던 성가대 활동은 마치 이곳에서 활동하기 위해 정해진 곳으로 보내셨고, 원하는 것들을 들어 주신다.

초보 운전자로 몇 달 전 조급한 마음으로 유턴 때 브레이크 대신 엑셀 밟고. 아슬아슬한 상황 속에서 차가 가드레인 직전에 멈춰 섰다. 순간 박는구나! 했는데 아무렇지 않게 지나갔다.

차 축복씩 기도를 참여하면서, 안전하게 지켜 주시는 하느님의 사랑을 느낄 수 있었다. 이런 작은 경험을 통해 믿음은 커진다.

아이들에게도 위험한 순간에 늘 함께하심을 청한다. 지금껏 맞벌이로 살아가며, 어려움에도 협력자를 보내주셨다. 절박할 때 미사 참여한 경험이 연속적으로 이어져 한 달을 채워보고 싶은 마음이 행동으로 이어져 미사를 통해 빚을 많이 갚을 수 있었고, 그러한 경험들이 다시 미사를 보고 싶은 마음을 가지게 된다. 각자가 만들어 놓은 생각의 테두리를 걷어내시고, 나를 바꿔 놓으시는 하느님의 이끄심에 맡기고, 함께 빚 갚기, 부자 되고 있다.

오병이어의 기적처럼, 원하는 것을 아시고, 필요를 채워주시는 하느님. 늘 좋은 것을 주시는 성령의 힘을 믿고 걸어 나간다. 타인을 돕는 일을 하고 싶다. 죽음을 생각했던, 10대의 어린 시절의 내가 살아갈 수 있었던 것은 천사의 도움으로 생명을 구원받았다. 소중한 친구는 한 명만 있으면 된다. 자주 만나진 않지만, 늘 서로를 위해 응원하며 함께 성장하는 사이. 믿음을 갖게 되기를 기도한다.

살면서, 마음이 무너지고 힘든 순간에 누군가 기도해 주는 이가 있다면, 버텨낼 힘을 얻는다.

그런 사람이 되고 싶다. 신앙은 죽음의 순간에 나를 살렸듯, 마지막 순간에 도와주고 싶다.

두 딸에게 모태신앙을 물려주고, 첫영성체 축복을 주고 싶었다. 내가 못 해본 것이기 때문에 신앙의 중심을 어린 시절부터 잡아주고 이끌어 주고 싶었다. 아이에게 매주 미사 보는 습관을 들이기 위해 노력한다. 엄마가 묵주기도 들고 기도하는 모습을 보고 자라면, 힘든 순간에 기도할 것이다.

성령이 함께한다.

하느님, 저를 지켜 주소서. 당신께 피신하나이다. 오늘도 우리는 십자가의 예수 그리스도를 바라보면서 우리의 신앙을 고백하고 주 하느님이신 예수님께 의탁합니다.

"주님이야말로 하느님이십니다. 주님이야말로 하느님이십니다."

인생은 어디로 가는지 알 수 없지만, 하느님을 만나고 변화된 기적의 체험을 믿지 않는 이에게 전달하는 사명을 부여받았다. 부자가 되고 성공하기 위해서 우리에게 절대적인 신의 존재가 나를 돕는다면 얼마나 든든할까?

부자가 되기 위해 하느님을 믿은 건 아니지만, 죽음에서 나를 살리시고 나를 키우시는 하느님의 손길에 늘 감사한 마음을 갖게 된다. 새로운 꿈을 갖고 걸어간다.

하느님께서 답을 알려주심을 믿고 굳센 마음으로 걸어간다. 타인을 돕는 마음을 가지고. 부와 믿음으로 어떻게 부자로 만들어 주셨는지 경험을 전하며, 새로운 시각으로 이끌어 준다.

평범하지 않은 삶을 살아가지만, 모든 건 이유 없이 오지 않는다. 나를 사랑하게 되며 내 꿈을 찾아간다. 아이들에게 경제교육을 한다. 나눔에 의미와 엄마가 책을 쓰는 이유는 어떤 시간을 보내며 무슨 책을 보고, 어떻게 살아야 하는지를 전달해 준다. 엄마가 했다면, 너희들도 할 수 있어. 하기 전에 겁먹고 포기하지 말고 우선 꾸준히 도전해 보렴. 하느님과 함께라면 어려운 순간을 이겨낼 수 있단다. 내가 너희에게 주는 최고의 유산은 하느님을 믿는 마음이 아닐까? 당신께 맡깁니다. 내 자녀이기 전에 하느님의 자녀인 안나, 아녜스 하느님의 귀한 일꾼으로 세상에 도울 수 있는 능력 주시고, 사랑을 전하는 자녀가 되게 해주세요. 엄마에게 받고 싶은 걸 자녀에게 준다. 늘 바쁜 엄마였다. 지금도 집에서 머물면서, 원고를 쓴다며, 집안일은 모두 미뤄놓고 원고에 집중한다. 과거 엄마들은 자신을 희생했지만, 행복한 삶을 살아내야 한다. 엄마의 행복은 자녀의 행복으로 엄마의 우울은 자녀의 우울로 이어진다. 내가 가진 것이 없을 땐 줄 수 없지만, 가진 것을 가꿔가면 더 많은 것을 줄 수 있다. 아이를 키우는 중심에 책을 함께 하면 좋겠다. 자녀가 크는 만큼 자신을 함께 키워야 한다는 김미경 작가님의 말처럼, 20대가 자녀를 키우기엔 미흡했던 지난날의 잘못을 자녀에게 사과하며 가족을 단단하게 키워야 한다. 바쁜 일이 끝나면, 아이에게 조금 더 집중해 주려고 한다. 너무 어릴 때 어린이집과 유치원 정부 지원 혜택을 받았다. 일하기 좋을 때라 여기며 9년간 쉼 없이 달리며 잠시 멈추게 하셨다. 새로운 사람들을 만나서 나누는 삶도 즐겁고, 자녀를 위해 차량 픽업할 수 있음에 감사하다.

누구에게나 어려운 순간이 찾아올 수 있지만, 나와 함께 하는 우주의 기운처럼 신의 영역을 믿어보자. 나를 위해 기도해 주는 이가 있다는 사실이 너무 슬플 때는 위로가 된다. <누군가 널 위해 기도하네> 노래를 자장가처럼 불렀다. `또또` 불러 달라고 했던 둘째. 이 노래를 불렀던 건, 일하는 곳에 한 사람과의 관계를 맞춰가는 것이 힘이 들어 불렀던 노래가 내 마음을 위로 해줬고, 딸이 울 때면 불러줬다. 함께 위로 되었듯, 삶의 어려운 순간에 날 위해 기도해 준 이들이 있었다. 성가는 마음을 울컥하게 하며 하느님의 사랑이 느껴진다. 힘든 순간에 딸과 성가가 있어 큰 힘이 되었다. 늘 나와 함께 하시는 성령을 믿고 의탁하며 살아간다. 힘든 시기를 겪는 이에게 나의 힘듦이 지나갔듯, 모두 지나가기를 청해본다.

행복한 집, 사회 만들기

처음 집 마련을 할 때가 떠오른다. 처음엔 빚낸다는 걸 두려워 빚을 최대한 적게 투자한다. 누구나 깨끗하고 좋은 집에서 살고 싶어 한다. 하지만, 현실과 실제는 타협점을 찾아 적당히 살만한 집을 정한다. 우리는 `이 정도로만 살아도 괜찮아`하고 더 높이 올라가면 욕심이야 하며, 제한의 신념을 갖고 있다.

초등학교 3학년부터 주택 집에 살았다가 새 아파트로 이사 가게 되면서 좋은 집이라 생각했지만, 비싼 집으로 이사 가는 친구들도 있었다. 10년을 그곳에서 살았다. 그곳에 살다 만난 엄마 친구들은 아직도 연락하고 지내는 분들이 있다. 환경의 변화를 엄마로부터 새겨듣게 되는데, 살면서 큰 도움이 된다.

누군가의 불행은 또 누군가에겐 교훈이 된다. 각자의 해석법에 따라 삶은 달라진다.

아빠는 밤늦은 퇴근으로 가까운 곳으로 주거지를 옮기는 것을 선택했다. 칠성시장 상가 3층에 집은 저렴하면서 오래된 건물이라 벌레에 취약했다. 시장 특성상 밤늦게 돌아오면 생선 냄새의 악취가 구토를 유발했다. 가족이 살기엔 환경이 너무 좋지 않았다.

어린 시절부터 주택가에 살다 보니 동네 아이들이 많지 않다. 부모님께서 교회나 성당을 다녔다면 자연스럽게 친구들과 놀며 사회성을 배웠겠지만, 그러지 못했다. 처음 마주하는 유일한 가족이 오빠와 부모님이지만 소통이 원활한 편이 아니었다. 소통에 관한 결함과 주거의 소중함을 갖게 했다. 신앙생활을 선택하고 좋은 주거 환경에서 내 자녀를 키워야겠다는 원칙이 반영되었다.

우리가 살면서 마주하는 문제들이 어떻게 살아야 하는지 형태를 만들게 된다. 모든 건 나쁜 것은 아니었다. 문제가 있으면 해결책이 생기듯. 나의 실패담이 때론 성공으로 가는 발판이 되어준다. 지금 살고 있는 곳이 최고의 집이란 마음으로 살아간다. 산책할 수 있는 공간이 있고 자연과 함께 걸으면서 새벽 공기를 마시면서 배달하면서 마음을 크게 키우고 돈을 번다.

자연 `멘탈`은 돈을 벌면서 만들어진다. 힘들다면 힘들지만, 처음부터 힘들다는 생각보단, `재밌네.`라는 생각이 긍정 에너지를 만들었다. `이걸 왜 해야 해 ` 대신 어떤 생각을 품고 사느냐에 따라 삶은 바뀐다. 어떤 가정을 꾸리고 싶은가는 어린 시절 자라온 환경에서 파생되어 간다. 아이들에게 가난을 물려주지 않고 `부자 엄마가 되다.`라는 꿈은 지금이 아닌, 먼 훗날 `부자 할머니가 되다.`라는 꿈을 꾸는 대신 가까운 목표를 세워보는 건 어떨까. 그러기 위해선 재정 성적을 확인하듯. 자산 규모를 파악해야 한다. 들여다보는 것을 두려워하지 말자. 피검사를 해서 몸의 전체를 보는 것만큼 재정을 보려면 용기가 필요하다. 정기적인 피검사를 하듯, 재정을 정기적으로 체크가 필요하다. 자연스럽게 재정을 파악해 볼 수 있는 공간을 만들어 보면 좋겠다. 커피 한잔과 함께 봐주는 재정 상담. 시니어와 함께하는 전통찻집. 요런, 느낌도 좋다. ^-^

나는 타인에게 선한 영향력을 전달해 주고 싶다. 인생에서 중요하게 생각하는 키워드는 가족, 종교, 돈, 경제적, 시간적 자유, 건강, 아닐까?

관심 있는 분야는 청소년 사역, 해외 선교 사역에 관심 가진다. 믿음의 중심이 생기지 않았다면, 선교와 청소년 사역에 관심이 생기지 않았겠지. 아이들의 삶이 얼마나 중요한지 깨닫게 된다. 어린 시절 아픔, 가난, 트라우마 등이 아이들이 세상과 처음 소통하면서 겪는 좌절을 극복하고, 회복시켜 줄 수 있는 단체를 만들어 관리하고 변화시킬 수 있다면 좋겠다.

가족이 함께 재단을 운영하고, 자신의 재능을 발휘할 수 있는 아이들로 키워갈 것이다. 함께 성장하는 사회 사랑받은 아이들이 사회로 나가서, 타인을 돕는 선순환이 되는 사회 내가 꿈꾸는 사회와 비전이 아닐까? 누구나 꿈을 향해 도전할 수 있다. 한계의 선에 있는 아이들에게 경제적인 지원을 해줄 수 있다면 그 아이의 인생은 큰 변화가 기적의 삶으로 바뀌어 갈 것이다.

배우고 성장하자.

우리들이 흔히 하는 말 중 경계해야 하는 것은 안다는 말이 아닐까? 이 말의 뜻을 생각해 본다. 안다는 것은 행동했을 때 실제 아는 것이 된다. 알면 행동으로 수정해 나가기 때문에 정말 아는 것이 된다. 습관으로 바꾸기까지 노력이 필요하다.

매일 책 읽기, 글을 쓰겠다는 마음을 먹었다면 행동으로 옮겨야 한다. 지속하는 힘은 작은 성취감에서 만들어진다. 나라고 처음부터 지속력을 만든 건 아니었다. 한번 시작이 여러 번이 되고 반복을 만들고 습관이 된다. 살면서 숱한 시련을 겪었지만, 그럼에도 다시 도전하는 것을 두려워하지 않는다.

매일 걷기와 사계절 우유 배송의 경험은 삶의 의미를 깨닫고, 어떻게 살아야 할지 고민하는 시간이 된다. 사계절의 변화를 통해서 자연을 느끼고, 숨 쉬고 새들의 지저귐의 소중함을 깨닫기도 한다. 겨울이 지나고 파릇파릇 새순이 나오는 것처럼 비가 오고 눈이 오거나, 춥고 더울 때도 비옷과 롱패딩을 입고 걷는다. 튼튼하게 꾸준히 할 수 있는 근육을 만든 건 아닐까?

작가가 된다는 것은 참 매력적인 직업 중 하나이다. 물질적인 성공이 아닌. 내 삶을 통해 누군가가 희망을 찾고 행동의 변화가 있다면, 그 또한 하느님께서 바라시는 것이 아닐까?

나에게 주신 달란트는 하느님을 사랑하는 마음을 전하는 것과 아픈 이들 잃어버린 영혼들을 구원하는 일에 동참하는 삶이라 생각한다. 가난한 이들에게 돕고 싶다는 마음이 열린 걸 보니, 하느님께서 이런 마음을 어릴 적부터 심어주셨다.

요즘 내 삶에 멘토로 다가오는 분은 현승원 대표님이다. 하나님을 믿고 기부하고 나누는 삶을 통해 어떻게 살아야 할 것인지 방향을 가르쳐 준다. <새롭게 하소서> 영상 보면서 하느님께서 우리에게 어릴 적 시련은 나를 더욱 단단하게 만들 수 있는 근력 훈련을 시켜주셨다.

의인들의 사람을 보고 따라 하듯 어려운 시기는 극복해 나갈 가치를 스스로 만들어 낼 수 있다. 우리에게 넘지 못한 시련은 주지 않는다고 한다. 어려운 시기를 극복하고 단단하게 맞서 성공 궤도를 올라간 분들을 보며 따라 하려 한다. 성장으로 가는 길은 멀고도 험하지만, 묵묵히 믿으며 나아가본다. 좋은 인연이 내게 찾아와 길이 되어줌을 믿는다.

2. 행운아, 내게로 와 착 붙어줘.

당신에게 그릿이 있나요?

(그릿) 당신에게 그릿이 있나요?

그릿 (사전적 의미): 연마재의 하나. 뾰족한 입자로 된 연삭숫돌의 성분이다. 성장과 회복력, 내재적 동기, 끈기를 나타내는 복합적인 의미로 사용된다.

실패에도 다시 일어날 도전할 힘이 내 안에 있다. 과거의 실패에도 굴하지 않고 앞으로 나아간다. 학교 다닐 때 만화책에서 다양한 장르의 책을 열어볼 마음을 먹지 않았다. 누구에게나 변화의 때가 있다. 일찍 판도라의 상자를 열었다면 변화를 일찍 맛보았을 것이다. 모임방을 운영하며, 방장님은 일찍 만났더라면, 하시는 분이 계신다. 각자의 때가 있듯, 그분이 왜 그런 말씀을 하셨는지는 알 수 없지만, 그 말이 기분이 좋아진다.

모임방에 머무는 분들과 다르지 않다. 조금 다른 투자와 빚 갚는 삶을 선택했고, 게으름을 멈추려 나만의 시스템을 만든다. 블로그 1일 /1 포스팅(글쓰기), 미사와 묵주기도(명상, 기도) 걷기 (운동), 빚 갚기(저축), 돈 관리와 독서 모임(나눔과 성장) 등의 행동을 하거나 하지 않을 때가 있다. 고민들로 만든 것처럼, 소비와 저축은 반복할 때 이뤄내는 둘 사이에 강력한 열망이 행동을 선택한다.

인생을 살면서, 선천적인 재능을 가진 사람과 강한 성취동기를 가진 끈기를 가진 사람 누가 성공을 할까? 각자 상황에 따라 다르겠지만. 재능이 없다고 한탄할 때도 있었다. 재능을 뛰어넘는 타고 난 재능은 없지만 만들어 낸 재능이 있다. 나만의 성취감으로 지속할 수 있는 습관이 생겼다. 한번 달성한 레벨은 또 다른 도전을 시작하는 동기부여가 된다.

인생 게임. 자신에게 맞는 레벨에서 주저하지 않고 넘어지고 다시 걷기를 선택한다. 자신에 맞는 레벨로 다시 돌아가면 된다. 레벨 업이 되었다면 누가 시키지 않아도 지속하는 힘이 조금씩 생겨난다. 매일 책을 읽는 습관이 글을 쓰는 습관을 만들고 빚 갚는 습관이 만들어지듯, 나만의 루틴이 만들어 빚 전문가가 된다. 스스로 정해놓은 한계를 뛰어넘을 때 비로소 원하는 것을 이뤄낼 수 있다. 실패, 역경, 슬럼프를 이겨내고 자신만의 성공을 향해 걸어가길 응원한다. 그릿은 나이가 들수록 점점 재능이 활성화되어 가속이 붙기 시작한다. 멈추지 않고 나아간다면, 못할 일은 없다.

※ 출처: 그릿 앤젤러 더크워스 지음 비즈니스 북스 2016.10.25

나만의 신념을 갖다.

사람들은 각자 소비하고 생각하는 것들에 차이가 생기 마련이다. 책을 좋아하는 사람이 되었다. 명품 가방을 좋아하지만, 보는 것에 만족한다. 당근마켓에 사람들이 올리는 것을 검색하고 즐겨 본다. 어떤 마음으로 물건을 구매할까? 구찌, 샤넬, 루이비통을 검색하자 비싸게 올린 물건에 관심 간다. 팔리는 것이 신기하다. 쓰는 즐거움을 넘어 통장에 돈은 사라졌지만, 빚이 줄었으니, 마음만은 부자가 된다. 돈을 빌리지 않아도 되고 밥걱정하지 않으면 부자가 아닐까.

혼자 먹으나 둘이 먹으나 별 차이가 없다. 함께 먹으면 음식은 더욱 맛있게 먹을 수 있다. 고독한 부자보다 사람 부자가 되고 싶다.

태어난 지 한 달 차에 유아 세례를 받았다. 일을 하다 보니, 내가 쉬는 날에 맞춰서 아플 때도 많았고, 봐줄 사람이 없으면 만들어 주셨다. 수액을 맞으면 열이 떨어져 회복이 빨랐다. 열이 나서 아프고 회복하는 경험으로 바늘에 찔리는 고통보다 아프지 않음을 선택하며 참아내는 힘이 어릴 때부터 만들어졌다. 아이들과 차가 없어 걸어갈 때도 많았고, 코로나가 시작되면서 자가 격리 경험하면서 성당에서 간식 꾸러미를 보내줬다. 보건소에서 구호 물품과 성당에서 마카롱과 피자까지 행복한 자가 격리 기간을 보낼 수 있었다. 두 딸과 보낸 12일간의 유급의 달콤함을 경험하게 되었다. 일하는 엄마에서, 딸들과 함께 쉬는 것이 좋았다. 코로나의 두려움도 있었지만, 모든 건 지나가기 마련이고 소중한 것은 뒤늦게 깨닫는 경우가 많다. 엄마와 떨어진 시간을 의미 있게 사용할 수 있도록 딸의 재능 키우려고 다양한 배움에 투자했다.

부동산 투자만 복리 투자가 아닌, 자녀 역시 어릴 적부터 재능에 복리로 투자하면 어른이 되어서 꺼내 쓸 수 있다. 센터에서 받은 사랑을 돌려줄 수 있지 않을까. 미술, 피아노, 바이올린, 줄넘기, 등 다양한 재능이 생겨난다. 어떤 꿈을 갖고 성장할지 알 수는 없지만, 부자 엄마가 되어 자녀에게 날개를 달아 줄 수 있다.

어린 시절 고생은 모두 지나서 엄마의 손길이 필요한 이때 휴직을 할 수 있어 감사하다. 미술학원 데려다주면서 차에서 한숨 자거나 책을 읽으며, 학원에서 끝나길 기다린다. 초등학교 입학식에 참석하지 못했지만, 졸업식에는 갈 수 있게 되고, 부모 면담을 한 번도 가지 못했는데, 이제는 갈 수 있다. 방과 후 참여 수업을 보며 뭉클했다. 남들에겐 쉽게 가질 수 있는 것이 내겐 욕심처럼 말하지 못하고 포기하는 법을 배웠다.

아이가 아플 때 할머니와 남편이 빈자리를 채우거나, 그조차 허락지 않으면 어린이집, 유치원 선생님이 해주셨다. 내겐 많은 협력자가 있었다. 두 딸이 멋지게 자랄 수 있었던 건 많은 선생님의 사랑과 따뜻한 관심에서 성장했다. 아이를 키우려면 온 마을이 필요하다. 지역 아동센터와 같은 좋은 복지 시설이 있어서 얼마나 감사한지 모른다. 나의 손과 발이 되면서 학습과 먹거리, 체험 학습 전반적인 것을 채워준다. 1년이 지났다. 센터까지 걷는 힘은 성당과 집을 걸어 다니면서 만들었다. 아이가 다리 아파서 걷기 힘들다고 할 때 강하게 밀어붙이며 지나친 건 아닌지, 나약한 마음에 흔들리기도 했지만 그래도 걸었다. 어렸을 때부터 먼 거리를 걷는데 단련되었다. `멀어서` `불안해서` `위험해서` 등 핑계의 말 대신 걸을 수 있다고 격려했다. 뜻하지 않게 주어진 혜택은 참 좋은 조건이다. 먼 거리가 문제가 되지 않았다.

학습의 빈 공백을 가정에서 부담한다면 가난으로 빠질 수 있었을 텐데. 정부 지원 혜택이 많아져 각 가정에 부담해야 하는 금액을 줄여주고 심리적 안정감을 가지고 자랄 수 있다. 이렇게 자란 아이들은 또 사회에 큰 일꾼으로 선순환 된다.

하루에도 몇 명이 죽음을 선택한다. 가까운 연예인의 죽음은 우리에게 큰 충격으로 이어진다. 건강한 자아를 가진 사람은 나쁜 마음을 품을 수 없다. 돈보다 더 중요한 것이 강인한 마음가짐이 아닌가. 좌절의 순간에도 일어설 수 있는 회복 탄력성이 우리에게 있어야 한다. 넘어지고 깨지고 다칠 때 자신을 자책하는 대신. 일어서 다시 걸을 수 있기를 바란다. 신앙이 우리에게 큰 힘이 된 것처럼 자신을 단단하게 중심을 잡아줄 신앙을 가지면 좋다. 어려움은 지나가기 마련이다. 이 또한 지나가리라는 말을 믿고 이겨내자.

성공의 계기가 있다.

아이들은 성공을 향해 나아가는 힘이었다. 아이 하나의 무게와 둘의 무게는 두 배나 무겁고 부자가 되어야 하는 부의 크기는 기본 4배 이상부터 시작한다. 양가 가족은 2분의 부모님이 있으니 8배 이상의 부자가 되어야만 하고 신앙이 있으니 더 많아야 한다. 오빤 내게 돈에 욕심 많다고 하지만, 모두 자기와 같을 수는 없다. 나를 비난해도 내게는 성공해야 하는 이유가 있다. 부양해야 하는 그릇이 오빠 가정과 크기는 다르기 때문이다. 오빤 가족이 함께 먹는 것만 생각하고 나는 그 너머를 생각한다. 올케언니는 친정 가족이 없어 5명만 신경 쓰면 된다. 17살 어린 내가 아닌데, 항상 그 시절 나로 생각하며 말과 행동을 한다. 인격적인 대우를 하고 남편에 대한 예의를 갖춰 준다면 좋을 텐데. 가끔 만날 때마다 기분이 좋지 않다.

<미운 오리 새끼> 오빠에 의해 자존감이 낮고, 공부를 못해, 못생겼어, 하는 제한의 신념으로 나 자신을 갈아먹으며, 자신을 괴롭혔다. 어이구, 이것도 못 해. 비난하며 세상에서 제일 못난 사람이 되었다. 학교 다니던, 12년을 공부라는 지옥에서 살았다. `넌 할 수 있어` 하는 격려하는 어른이 필요했다.

가족은 이처럼 좋은 관계도 있지만, 꿈을 향해 좌절하게 만들기도 한다. 내 안에서 나오는 말이 격려하는 말인지 방해하는 말인지 확인하자.

아이들의 시간과 바꾼 월급이 부자로 가는 통로가 된다. 엄마와 자녀가 함께 성장하게 되어 좋았다. 돈을 잃어봐야 그 의미를 깨닫게 되고 지킬 힘을 지닌다. 학교 다닐 때 공부 못 했다. 초 5학년 이후 학원을 안 보내셨다. 24살에 삼성 sdi 신입생 교육 시험에 대비하며 공부했다. 이때 경험이 간호조무사 공부 때도 먼저 공부했다.

20대엔 한 직장에서 오래 버티고 인간관계의 어려움을 이겨낼 힘도 없었고 늘 세상 불만 가득 남 탓만 하는 사람이었는데 엄마가 되고는 고난 속에서 하느님을 찾고 매달리며 책 속에서 답을 찾게 된다.

그렇게 돈의 신념, 하느님의 신념이 내 안에 자리 잡기 시작했다. 돈의 잘못된 선택을 바꾸는 과정에서 많은 시행착오 거치며 부족함에 흔들리지 않고 새로운 것을 배우며 성장해 나간다.

병원에 근무하며 9년간의 노동에 대한 보상을 제공받게 되었다. 오빠에겐 고용보험이 있지만, 자영업을 하는 언니에겐 노동 수입원만 있다. 쉬는 만큼 무급 처리된다. 쿠팡 일용직은 나를 대체할 사람이 많다. 일하지 않아도 돈이 들어오는 자본 시스템을 만들어야 하는 이유가 이런 게 아닐까. 유급과 무급 사이를 생각한다. 내 주머니에 돈을 채워줄 사람이 있느냐. 자동차 사고로 인상분을 누가 충당하느냐 따라 돈의 사용량이 많거나 줄어든다.

위험에 대비하듯 무급 상태가 언제든 찾아올 수 있다는 걸 예측하고 준비해야 한다. 갑자기 등이 떠밀려 추운 겨울을 맞이하며, 내겐 추위를 막아줄 집과 남편의 월급이 있다. 만약 갑자기 남편 건강이 안 좋아 쉬게 될 수도 있고, 내 몸이 안 좋아서 쉴 수도 있다. 위험으로부터 대비하고 있어야 추위를 피할 수 있다. 어떤 의미로 말하는지 그 뜻을 파악할 수 있을까.

인생은 각자 살아가는 거지만, 적당히 모으는 것 보다 적게 쓰는 연습을 하고 나이 들어서 소득이 0원이 되었을 때를 대비하지 못하면 추운 겨울이 평생 지속된다. 지출을 방어하지 않으면 길가에 앉는 것과 비슷하지 않을까. 매년 학교 성적표 확인하듯 재정을 확인하자.

돈 관리는 심리상담 하는 것만큼 어렵고 가족의 협조가 절대적이다. 정신과 상담 역시 마음을 내어놓는 게 어렵지만, 부자가 되어야만 하는 강한 열망은 간절함으로 행동력을 높일 수 있다.

책에선 `내가 했으니, 너도 할 수 있어.`라는 말이 나온다. 무 지출 0원 하는 날이 극히 드물다면, 0원 하는 날을 늘려보자. 어떤 상황에서도 돈을 벌 수 있는 자기만의 방법을 찾아야 한다.

삶의 핵심 가치

투자하고 시간이 지남에 따라 복리로 수익률을 만들고 11억 자산가가 되었는데 부동산 하락장에 금액이 떨어졌다. 자산을 오랫동안 보유하는 사람에겐, 떨어진 게 나쁜 건 아니었다. 내야 하는 세금이 줄어들었다. 아직 경제적 자유로 가는 로드맵 단계일 뿐이다.

누구와 비교하느냐에 따라 달라지겠지만 부자가 될 수 있다는 확신이 있다. 무주택자, 싱글, 20대 30대보다는 자산이 조금 있다는 것뿐 현실에서는 별반 다를 것 없다. 아직 월급 받아서 생활하는 30, 40대와 자녀 둘을 키우며 살아갈 뿐 조금 특별하다면 보통 내 집 한 채이거나 무주택인 사람이 대다수인데 나에게는 4개의 아파트가 있다.

나에게 4는 착 달라붙는다. 4인 가구라서 최소한 4채의 아파트를 가져야 목적자금을 만들 수 있다. 시간이 지남에 따라 복리의 수익은 점점 커진다. 쌀 때 사서 묵히자는 투자 신념이다. 적은 투자금으로 시간이 지나면 오르는 곳에 투자하는 전략 재건축, 재개발 호재를 기다리는 것이다. 어릴 적 놀이터에서 ` 두껍아 두껍아. 헌 집 줄게 새집 다오' 하며 놀았다. 투자전략으로 접근했다.

내가 원하는 부자란 좋은 차를 타고 다니는 그런 것을 원하는 것은 아니다. 내가 가진 것을 나눌 수 있는 것 그것이 하느님께서 내게 주신 은혜의 보답하는 것이 아닐까?

가진 것을 나눌 수 있는 부자가 되고 싶다. 연예인들이 세계 곳곳에서도 돕지만 아직도 미흡한 것은 사람들이 조금씩 작은 나눔의 실천이 모여질 때 큰 기적을 이뤄내는 것이 아닐까?

신앙이 없었다면 <스크루지>처럼 인색함을 가졌을지도 모른다. <황금알을 낳는 거위>가 내겐 부동산으로 만들었다. 아직 알 낳을 기회가 눈앞에 있는데 수익금에 눈이 멀어 거위를 잡아먹지 않는다. 파이를 쪼개거나, 샴페인을 일찍 터트리지 않는다. 벼는 익을수록 고개를 숙인다는 말처럼, 가질수록 교만해지기 쉽다.

자본주의 시스템에서 네트워크와 비즈니스를 배우지 않을 수 없다. 다양한 사람들과 만나고 소통하는 것에 즐거움이 있다. 나와 비슷한 생각을 가진 이들이 모여서 성장한다. 상상만으로 즐겁다. 하나씩 만든다. 아직 가보지 않은 길에 두려움이 있지만 일단 멈추거나 주춤하지 않고 나아간다. 나에게는 좋은 인연들이 생겨나고 기회가 주어진다면 잡을 것이다. 새로운 도전은 설렘과 삶의 활력을 가져온다. 그래서 부자들은 새로운 것에 도전하고 정복하는 것에 희열을 느끼나 보다.

24시간 중 20시간을 깨어있는데도 버텨낼 수 있다는 것에 참 놀랍다. 시간 관리가 되는 사람은 성공할 수밖에 없음을 깨닫게 되며 시간 관리를 배우고 실천한다.

책을 읽다 보면 조급한 마음도 들 때도 있지만 그럴 때일수록 책을 읽고 걷고 사색하고 기도하는 것을 게을리하지 않는다. 시간은 누구에게나 공평하게 주어진다. 자신에게 주어진 모든 걸 감사하자. 많은 이들이 자신이 버는 소득을 적절히 분배하고 사용하여 자산을 만들어 나가면 좋겠다.

지인을 만나면 남편 월급을 물으면 보통 400만 원, 500만 원 버는 분들이 많았다. 아직 남편 월급이 350만 원인데 적다고 하진 않는다. 그들은 남편 월급이 적다고 생각한다. 내 마음의 크기에 따라 다르게 본다. 적다는 기준은 비교 대상에 따라 차이가 난다. 노점상 할머니께서 평생 모은 재산을 사회에 기부한다는 기사를 볼 때면 돈의 크기의 차이는 중요치 않다. 적다면 더 많이 모아야 하고, 많다면 더 많이 모아야 한다. 내 마음의 크기는 큰데, 월급이 적다고 느낀다면 일단 모두를 모아보고 불어난 크기를 보자. 적다고 할 수 없을 것이다. 모두 써버리면 그 가치를 알지 못한다. 내 손 안에 모래가 빠져나가듯 모든 돈이 사라졌기에 작다고 느낄 뿐이다. 아무리 많은 돈을 써봐도 음식을 먹어도 채워지지 않는 갈증을 느끼듯, 적다는 마음부터 우선 바꿔가자. 많다고 생각하고 모아보자. 적다면 더 많이 모아야 하는 이유가 있다는 걸 깨닫길 바란다. 다리가 짧은 사람이 키가 큰 사람과 같아지려면, 더 많이 걸어야 한다. 이 원리와 같다. 적다면 큰돈 버는 사람보다 더 모으자.

돈을 어떻게 쓰고 관리하는지 따라 우리의 삶은 바뀌는 것이 아닐까? 노후 준비의 중요성을 말하지만 체감하지 못하는 것이 아쉽다. 일찍 깨닫고 돈 공부, 재테크 공부 인생 2막 준비를 해야 할 때이다. 평생 배워야 하는 시대라고 한다. 함께 배우고 성장해 나가는 네트워크의 힘이 중요한 때가 아닐까?

끌어당김의 법칙처럼 나와 생각이 비슷한 이들과 관계 맺고 성장해 나가려 한다. 부동산 4채 그 이후 새로운 투자처를 찾아 헤매는데 이젠 방향을 전환해야 하는 때가 아닌가 하는 생각이 문득 든다. 은행에서 부동산 투자를 막아선 시기에 배우고 원하는 것에 집중하자.

삶의 핵심 가치는 믿음, 신뢰. 성장으로 꼽아 보았다. 리더십의 중요한 4가지 역시 영적 정신적, 신체적, 감정적이다.

삶의 고난과 고통이 반복되었던 사람과의 관계 속에서 생기는 돈 문제들을 연구하고 개발하고 성장하길 바라는 마음에서 주어진 미션이 아닐까?

피하지 않고 정면 돌파해 보기로 했다. 사람들이 잘 못하는 부분을 극복할 수 있는 해결책을 줄 수 있다면 좋겠다. 나의 강점들을 개발해 나가자.

돈 사람과 연결한다.

배달 새벽 독서루틴 시간 관리 중요성을 깨닫게 되었다. 17년 9월부터 지금까지 배달한다. 책을 읽어 나갈수록 성공을 향한 갈망이 점점 커지는 가운데 내가 바꿔 나갈 수 있는 것은 무엇이 있을까? 고민하는 시간이었다. 호기심으로 시작한 배달은 건강한 마음과 몸을 만들었고, 잘못 설정된 재정을 수정했다. 돈의 주체성을 찾고, 자산이 점점 쌓이기 시작했다. 시간을 어떻게 사용하는지에 따라 삶이 바뀐다. 오늘의 선택이 미래를 바꿔 나갈 힘을 가졌다. 빚을 갚는 습관들이 쌓여서 자산의 빈 공백이 채워진다.

처음부터 책을 읽지 않았던 사람이 책을 읽으면, 읽고 싶은 책이 5권 이상 생기고, 집안에 책을 쌓아두게 된다. 도서관에 가면 읽고 싶은 책이 많다. 책 구경하는 재미와 보물 찾듯 도서관에 가고, 책을 왕창 빌려와 기한 안에 읽으려 시간을 쪼개어 쓴다.

어린아이 둘을 키우는 가운데 병원과 새벽에 주5 일간을 일어나서 배달하는 건 정신력 싸움이다. 몇 달 뒤에 주 3회로 바뀌었다. 배달료는 30만 원, 90만 원 올랐던 적이 있었다. 현재는 평균 55만 원의 배달료를 받고 있다.

가을과 겨울철 새벽 공기는 쌀쌀하고 매서운 추위를 시달려야 했지만, 사계절을 몸으로 느끼게 되었다. 처음엔 5시에 시작했는데. 물량이 늘어 월요일은 3시 30분에 일어나고 이틀은 4시 30분에 일어나면 된다. 절박함에 힘든 것도 모르고 씩씩하게 견뎠다. 새 아파트를 입주했다는 기쁨은 잠시 바쁜 일상에 지쳐 집은 그저 머물거나 쉬는 장소가 되었고, 집을 꾸미거나 정리할 여유가 없었다. 시간을 쪼개서 책을 읽으며 변화를 꿈꿨다. 최소한의 집안일을 하면서, 책을 읽거나 글을 쓰는 자기 성장에 더 많은 에너지를 쏟고 싶었다.

어떻게 살아야 할지 책 속에 답을 찾으려 애썼다. 마주하는 문제에 모르는 답이 많았고, 답을 찾으려 책을 읽을 때 작가님의 경험을 통해 배움을 얻었고, 치유력과 또 다른 시각의 답을 찾아나가려 책을 읽는다. 모든 게 정답일 수 없고 하나의 정답만이 존재 하지 않는다. 남의 정답을 훔쳐서 답안을 쓸 수 없고, 자신만의 정답을 찾는 과정을 거치며 계속 길을 바꿔가며 행동의 변화를 이뤄냈다.

한 번도 가보지 않은 길. 먼저 겪어낸 이들의 이야기는 큰 힘이 되고 다양한 사람들의 사는 이야기가 좋다.

어둠을 헤매던 내 인생의 배달을 통해 빛으로 가는 시간이 되었다. 하느님께 부르짖으며 눈물로 회개했던 그날이 생생하게 떠오른다. 하느님을 만나려면 어떻게 해야 해요? 연인을 대하듯 찾으라고 했다. 그렇게 배송하면서 하느님께 기도하는 시간이었다.

(성령 일기 광야 편) 어느 날 도서관에서 이 책을 읽고 아 ~ 이거 내 이야기야 하며 지금의 내 삶이 광야에서 있었다. 나를 단련시켜 나가고 마음을 단단함을 갖고 부자의 그릇을 키워가는 시간이 되었다. 잘못 형성된 재정을 하나씩 고쳐주셨고, 빚을 9개월 만에 갚게 했다. 내 힘으로는 불가능한 것들을 하느님께서 하셨다.

현재까지 빠른 빚 갚기를 끝내고 하느님을 사랑하는 재정 전문 메신저가 되겠다고 결심했다. 하느님과 동행하며 부자가 되는 과정을 직접 보여준다. 신앙이 없던 지난날은 암흑 속이었고 비로소 점점 빛을 향해 걸어가는 중이다.

막막한 이들에게 희망을 전한다는 꿈을 가지고 있다.

가던 길을 멈춰 세우는 것도 내 안에서 일어난다. 계속 걸은 것인지. 멈출 것인지 잠시 쉬었다가 천천히 걸어도 괜찮다고 시간을 늦게 흐르게 해도 괜찮다. 하지만, 최대한 빠르게 성취감을 맛보고 싶어 나를 몰아붙이며 벼랑 끝까지 밀어내며 더 빠르게 걸어가고 싶다. 내가 가진 빚을 몇 년 안에 갚을 것인지 2년, 10년, 15년, 35년 몇 년을 목표로 빚을 갚을 것인지 설정할 수 있다. 처음엔 나 역시 아무런 방어막 없이 은행이 정해준 대로 30년과 35년 시스템에 따랐다. 10년 안에 빚 갚아야지 했지만, 50세는 늦을 것 같았다. 5년을 설정하다 2년으로 설정값을 바꾸게 되었다. 마음가짐이 중요할 뿐, 역산을 해본다. 잔여 대출금에 나누면 월 상환액이 나오는데 월 420만 원은 무리였지만, 그럼에도 행동하게 되었다.

고민하고 벗어날 용기가 필요하다. 브랜딩- 상품 가치 높이고 나를 알리고 홍보하며 나누는 삶을 살아야 할 때임을 깨닫게 된다. 소비자에서 생산자가 되어야 한다. 나는 무엇을 판매 할 수 있을까? 월급과 함께 시간을 팔았던 인생에서 자신만의 현금 시스템 만들어야 하는 시대. 독서를 통하여 보다 나은 삶을 걷는다.

나의 장점은 도전을 잘한다는 것이고, 한곳에 만족하지 않는 단점이 장점이 되어 여러 경험을 해보고 운도 따랐다. 누군가의 말 한마디에 삼성 sdi 협력 직원(수원공장)과 삼성 sdi 정직원(천안)을 동시에 경험하는 건 흔하지 않다.

특히 남들보다 공부를 못했고 결석도 잦았던 내가 취직 할 수 있는 곳이 아니었다. 보통은 고등학교 졸업 전 학교에서 연계로 취직을 할 수 있다. 19살 나이와 돈을 바꿔야 했던 젊은 날의 시간을 삼성, lg 회사를 위해서 일하는 생산직 사원들은 돈과 바꿨다.

2003년 삼성 sdi 110만 원의 월급과 상여금을 따로 받았는데, 돈은 삶에 전부가 아니라는 것을 함께 일하는 선배님들을 통해서 느낀다. 오랜 세월 근무한 언니들은 돈과 자신의 시간을 바꿨다. 많이 가졌다는 건 누군가에겐 두려움의 대상이 되어 행동을 주저하게 만들고, 감당할 수 없는 돈은 가족을 비극으로 몰고 가기도 한다. 남들이 겪는 실패담 사회 이슈 등을 해석 해내는 지혜가 타인을 돕는 열린 사고와 전체를 바라볼 수 있는 능력이 된다.

물가는 매년 오르는 가운데 월급은 해가 바뀔 때마다 120만 원을 부르는 데도(피부과, 성형외과, 정신과 120만 원 부른다) 월급이 적다며 목소리를 내지 못했다. 그들이 정 한대로 따랐다. 먹으려고 하는 일인데 밥시간 엄수와 점심시간 휴식, 식비 제공처럼 기본이 안 되는 곳에서 문제를 요구하지 못했다.

20년의 내 삶을 돌아보며 노예의 삶을 살았던 시절도 있었다. 인생 2막을 준비하려는 시점에 돈 관련 저서는 새로운 인생을 작가의 길로 걸어갈 수 있는 통로를 열어준다.

아프리카에 사는 발목에 쇠사슬이 묶여버린 코끼리가 나와 모습이 닮았다. 사람들은 직장이란 울타리를 벗어나기를 꿈꾼다. 원하지 않은 상태로 울타리가 걷어져 휴직으로 직장의 자리에 무엇을 놓을지 생각한다. 돈의 출처를 고민하듯 다시 직장을 얻을 것인지 직업을 만들지 고민한다. 20대처럼 멍하니 멈춰서고 주저앉지 않는다. 우리는 무엇이 잘못된 것인지? 월급의 주인이 되지 못했다. 타인에 의한 코끼리 족쇄같이 채어진 것을 알아차림과 변화를 꿈꿔야 할 때다. 어딘가에 갇혀 중독된 상태를 파악하고 자신을 점검해 나가야 할 때이다. 더 늦기 전에 바로 잡아야 한다.

혼자서 어렵다면, 함께 월급이 주인이 되는 선택을 하길 바란다. 그 길에 내가 서 있을 것이다.

※ 참고:성령 일기 광야 편 저자: 강미경 출판사 에젤 2012. 10

일 새롭게 정의하다.

바쁜 일상 가운데 책을 읽고 생각하는 시간을 가진다는 것은 우리 삶에 중요한 것이 아닐까? 생각한다.

<왜 일하는가?> 책을 보면서 잠시 왜 일하는지에 대한 생각을 해본다. 일을 통해서 경험하는 것도 있지만 궁극적인 목적은 돈을

벌기 위해 일하는 행동을 지속하고 있다. 일을 해야 돈을 번다고 하지만 요즘은 일은 조금씩 바뀌고 있다.

3억 원의 부동산 담보에 빚이 하나도 없는 상태로 월 45만 원을 받는다. 대출금이 있었지만 모두 갚고 난 뒤 투자 자금 대비 시세 3억 원 중 일천만 원의 보증금을 빼고 나면 2억 9천만 원의 금액이 자산이 된다. 취득 당시 6700만 원의 금액과 대출금 4200만 원과 취 등록 세, 수리비 부동산 수수료 등 지출했지만. 돈은 썩여 현재 가치로 계산한다. 전세금 5천만 원에 사는 사람과 1억 전세금 사는 사람, 전세금, 월세, 자가 등 어떤 자산을 소유하느냐에 따라 부자가 될 수도 있고 가난한 사람으로 머물 수도 있다.

돈의 결핍감을 느끼고 돈을 모아야겠다는 결심을 하는 시기는 사람마다 다를 것이다. 조금만 더 일찍 알았더라면 아이들과 힘들게 보내지 않는데 하며 생각할 수도 있지만 10년이란 시간은 집 마련을 이뤄낸 것은 기적이었다.

불가능할 것처럼 느껴졌는데, 친구가 먼저 해낸 모습을 보고 올라가고 싶다는 목표를 세웠다. 머리에 온통 돈 관리를 수정하는 방법을 찾는다.

남들과 조금 다르게 살아간다는 것은 쉬운 일이 아니다. 나는 내가 원하는 것을 하며 부자가 되는 길을 걷는다.

신이 우리에게 미션을 주었다. 내가 찾은 미션은 사람들이 돈 걱정을 하면서 행동이 바뀌는 걸 어려워한다. 익숙한 것을 벗어나기 위해 용기가 필요하다. 잘하는 것을 찾고 삶의 의미와 목적을 찾아야 한다. 책은 우리에게 질문을 던지고 생각할 힘을 키운다.

왜 일하는가에 대한 생각은 시간이 지남에 따라 삶의 목적을 찾듯 일하는 이유가 달라진다. 빚을 갚고 경제적 자유를 얻기 위한 직업을 만들고 싶다. 삶의 의미를 찾아가는 중이다. 갑자기 일이 사라졌다. 스스로 일하지 않는 삶 안에서 해야 하는 일을 찾고 어떻게 살아야 하는지 찾고 시간을 내 편으로 만들 수 있는 지혜를 얻는데 많은 시간을 쓴다. 지금까지 일에 대한 정의를 다시 편성해서 남이 만든 직업이 아닌, 좋아하는 일을 만들어 간다. 내가 쓰는 직업은 그리는 데로 만들어진다고 믿는다. 허무맹랑함을 가졌다 할지라도, 누구나 돈에 대한 목마름에 돌파구를 찾아 떠날 것이다. 궁금하다면, 주저하지 않고 두드려 보길 바란다. 돈 모으기 핵심은 있는 돈 지키기, 투자와 빚 갚기, 저축이 끝이다. 한번 해보자.

한 사람의 엉뚱한 아이디어에서 독서 모임을 시작한 것처럼, 우리들이 만들어 나가는 배움의 협동조합 형태를 만들고 가꿔나가는 방안에 대해 고민한다. 매일의 고민이 쌓여 완성품이 된다.

※ 참고: 왜 일하는가 저자 이나모르 가즈오 다산북스 2021.04

성공의 비결은 내 안에 있다.

실패가 정말로 성공의 씨앗임을 인식하기 시작했다. 벽을 벽으로 바라보지 않고 벽을 넘어 꽃이 된 사람들을 책으로 만났다. 그들에게 배웠다. 현실에 만족하지 않고 꿈과 목표를 향해 강렬히 살아가는 사람들이 책을 통해 내게로 왔다. 그들이 내게 힘을 주었다.

성공한 CEO들은 자리에 오르기까지 피나는 노력에도 불구하고 좌절의 순간을 이겨내고 넘어짐과 반복되는 순간에 포기하지 않았다. 그리고 다시 도전하는 노력으로 성공의 궤도에 올랐다.

우리는 빠르게 부자가 되기를 원하지만, 로또에 당첨자 중 100

명 중 그 돈을 지킬 수 있는 사람이 1%, 3% 내외 된다. 로또 당첨을 꿈꾸지 않고 책을 사서 읽는 것을 좋아한다. 책 속에는 내용은 무의식에 저장되고 있다. 당장은 변하지 않지만, 책을 꾸준히 읽었더니 행동이 변하기 시작했고, 깨닫지 못했던 것들이 눈에 들어오기 시작했다. 자신만의 때가 있다. 그 시간을 기다리며 책을 읽으며 부자의 그릇을 키워 나가자. 그릇 크기에 맞는 돈이 들어온다. 그릇이 작으면 돈을 담을 수 없어 흘러간다.

대출금을 갚고 통장 정리를 즐긴다. 어제 빚 갚은 행동은 시간이 지나면 잊기 마련이다. 다시 돌아보며 긍정적 에너지를 받게 된다. 소비하는 기쁨을 느낄 수 있지만, 불필요한 소비를 줄이며 빚 갚는 재미에 빠진 것에 감사한 마음이 든다. 반복해서 행동 하고 싶은 마음이 뿜어져 나온다.

어떻게 하면 돈을 더 벌 수 있을까? 나를 밀어붙이고 새로운 도전을 하고 싶다는 열망을 만든다. 안정권에서 탈출해야 한다는 소리가 들린다. 부족한 부분을 채울 계획을 세워간다. 내 안에 숨겨진 가능성을 상상하고 만들어 간다. 혼자서 빚을 갚을 수는 있지만, 삶을 살아가는데 사람들이 있어야 한다. 혼자서 부자가 되는 것이 아닌 함께 부자를 꿈꾼다.

초보운전, 피아노, 강사, 블로그, 글쓰기, 작가 뭐든 처음은 누구에게든 존재하는 것이다. 올챙이 시절이 지나면 개구리가 되듯, 번데기가 어려운 시험을 거쳐 가며 화려한 나비로 탈바꿈한다. 만약 가다 서기를 반복하다 멈춰버리면 개구리나 나비가 될 수 없다. 누구나 초보 시절이 있고 그 시절은 꿋꿋하게 지나가면 성장하기 마련이다. 운전하며 타인에게 피해를 많이 준다. 3번째 접촉 사고를 내면서 혼자서 차를 긁었다. 차량 주인을 불러야 차를 뺄 수 있었다.

차를 긁힌 것도 화가 나는데, 차를 뒤로 빼주시면서 이해와 함께 용서를 선택하신다. 미안하고 감사한 마음이 들었다.

사랑은 나누고 나눠서 결국 돌고 돌아 내게로 온다. 1:1 결제를 하지 않아도 꼭 필요한 이에게 기도가 돌아가듯. 하느님께서 결제를 해주신다고 믿는다. 상담 받는 사람에게 비용을 받지 않아도 괜찮다. 사랑은 돌고 돌아 내게로 오듯 하느님께서 갚아주신다.

누구에게나 배우는 때가 있고 빠를수록 좋다. 쉽게 얻는 것이 세상에 있을까. 아이를 키우면서 지금껏 성장한 것처럼 젖 먹던 힘을 다해 걸어가듯 하나씩 이뤄 가면 된다.

우리 안에 잘못 침투된 족쇄를 걷어낼 용기가 필요하다. 부동산 모기지, 차량 할부금, 카드 할부, 현금서비스, 캐피탈, 대학교 학자금, 등이 있다. 대학교 학자금을 10년 만에 다 갚아냈다는 사람이 있다. 대학교 졸업자와 고등학교 졸업자의 연봉 차이가 별로 나지 않는다. 고등학교 졸업 후 성공 신화를 이룬 분들도 있다. 학벌이 성공을 말해주는 것도 고액 연봉자만이 부를 갖는 것도 아님을 어렸을 때는 몰랐다.

아직도 학벌, 계급, 흙수저, 금수저, 불우한 환경, 가난 등을 이유로 가난을 벗어날 수 없는 이유를 말하며 할 수 없음을 외친다. 모든 여건에도 불구하고 누구나 부자가 될 수 있다. 남들보다 모든 조건이 빠진다면, 더 많이 걸어가고 잠을 줄이거나 두. 세 가지 직업을 가지고 뛰어서라도 부자가 되기를 꿈꿔보자.

둘째 딸 5살에 자동차 낱말 카드를 보여주고 세 글자로 물으니 `회사 차`라 말했다. 보통 자동차의 소유주는 개인이 된다. 우리 집에 자동차란 소비재는 법인에서 대신 돈을 내준다. 내 차의 비용은 나의 몫이지만, 부동산을 소유하는 것과 자동차를 소유하는 세금 값이 같거나, 자동차세가 더 비쌀 수 있다. 부모의 시간을 팔아서 만든 돈이라는 걸 아이들 알았으면 좋겠다. 돈을 벌기 위해 많은 시간을 함께할 수 없다는 것을 알려줘야 한다. 누군가가 그런 말을 했다. 아프리카에서는 배고파 땅에 떨어진 음식물 쓰레기를 주워 먹고 우리는 많은 음식을 남기고 버린다.

내가 가진 것을 타인과 조금씩만 나눈다면 지구의 가난한 이들이 줄어들지 않을까? 누군가를 위한 소비가 아닌. 주체성 있는 소비를 하고 경제적인 자유의 꿈을 이루려면 가족이 함께 경제 공부해야 한다.

우리 안에 부정적인 생각들을 긍정의 언어로 바꿔 나가보자. 누군가에게 필요 없는 물건이 또 다른 누군가에게는 저렴하게 사용할 수 있는 책이 된다. 좋은 책을 저렴하게 살 수 있어서 감사하다. 우리 안에 잘못된 돈의 관점을 다시 설정하고 실천해 나가야겠다.

부자가 된 사람들은 작든 돈도 가치 없이 쓰지 않는다. 풍요로운 삶에 거품만 걷어내도 쓰는 돈이 줄어든다. 하지 않음을 선택할 때 부자 마인드가 생긴다. 아나바다를 다시 실천해 보면 좋겠다.

하고 싶고 해야 하는 일

세상은 빠르게 바뀌어 가고 있다. 진짜와 가짜가 판을 치고 전문가들이 무수히 많은 가운데 우리의 돈을 노리는 이들이 많다. 내 시간을 빌려 그들의 사업에 이용하려고 하는 이들도 종종 볼 수 있다. 시간을 관리하고 활용하는 방법을 찾아야 한다. 불필요한 에너지에 빼앗기는 것들을 걷어내야 한다.

무료 강의를 듣기 위해 카카오 채팅방에 들어갔다. 전문가들이 한자리에 모여 있는 채팅방이 몇 개 있었다. 채팅방 정리를 선택했다.

강연을 듣기 위해 방에 들어가야 강의를 들을 수 있고, 홍보 영상 후기를 써준다면 강의 원고를 받을 수 있다. 누구에게는 필요한 강의록이 내게 필요하지 않고 활용하지 않는다면, 그저 자리만 차지하는 것일 뿐이다.

고수익을 보장한다고 컨설팅 권유받는다, 상담을 받기 위해 그들의 강의를 들어야 하고 시간을 써야 한다. 그렇게 한다면 내가 원하는 것을 얻을 수 있다. 우리는 왜 이렇게 빠른 걸 원하는 것일까? 결과만을 바라보며 타인에게 쉽게 얻으려고 한다.

갈증을 느끼면서 자꾸 타인에게 맡기며 쉽게 원하는 것을 채우려 한다. 내 삶을 구원해 줄 구원자를 기다리듯 빨리 성공의 궤도에 도달하기를 바라는 것은 아닐까? 나 역시 혹시나 해서 내게 맞는 강의가 있는지 둘러보면서 지갑을 열려고 했다.

쉽게 얻으려 했던 것을 인정하기까지 시간이 필요했고, 더 이상 에너지를 빼앗기지 않겠다는 결심하며 하나씩 걷어내기 시작했다. 나에게 집중하며 책을 읽는 시간을 투자하고 원하는 것이 무엇인지 생각한다. 41세를 맞았다. 조급한 마음이 드는 것은 40대를 멋지게 짠하고 저 이걸 만들었어요. 하는 완성작을 보여주고 싶었기 때문이다.

누구보다 열심히 살았다고 생각했으나. 아직 욕심이 너무 많았던지 여러 가지 잘하려고 애쓰며 에너지가 여러 곳으로 흩어지게 만든 것은 아닌지 돌아본다. 투자에서 달걀을 한 바구니에 담지 말라고 하여 분산투자를 했으나, 소액일 경우 오히려 수수료만 발생한다. 재테크는 현재의 행동에서 생각의 전환을 시켜 행동을 수정하는 것이다. 절약을 시작한다면 현재 내가 할 수 있는 것은 무엇이 있는지 탐색하자. 그러다 보면 내가 할 수 있는 걸 찾고 행동을 바꿔 나갈 수 있다. 재테크 책을 읽고 행동을 수정했던 실천의 제일 큰 핵심은 절약과 저축 불리기였다. 지금까지도 행동으로 이어지고 있다.

블로그 보다가 보면 다른 사람들은 어떻게 콘텐츠를 만들고 있는지 보게 된다. 사람들이 좋아하는 것에 맞춰 글을 쓰고 광고 글을 작성하고 자신만의 일을 하는 사람들이 있다. 블로그 1일 1포를 작성하다 보니, 글쓰기의 실력이 늘었다.

처음에는 하루를 기록하는 개념으로 시작했다면, 지금은 삶을 어떻게 살아가야 하는지 고민하는 과정을 담아 글을 쓴다. 인기에 연연하기보다는 일상적인 생각을 담고 좋은 점은 배울 수 있고 서로 함께 좋은 사회를 만들어 성장하려는 목적을 담아 글을 쓴다.

하고 싶은 일(will) 과 할 수 있는 일 (can) 그리고 해야만 하는 일(must)을 구분해야 한다.

현실에서는 must-can-will의 순서로 일이 진행되는 경우가 더 많다. 아직 하고 싶은 일을 찾지 못했더라도 괜찮다. 다른 사람의 must를 도우며 일을 해나가는 동안 자연스럽게 can의 일이 나타날 것이다. 그리고 can이 쌓이다 보면 언젠가 자신만의 will과 마주하게 될 것이다. 다른 사람에게 인정받고 싶은 초조한 마음에 자신에게 맞지 않는 다른 사람의 will을 가져다 쓰지 말자.

must(머니 메신저) - will(라이프 코치) - Can(부자 되기)

이 책을 읽으며, 글을 다시 수정하면서 나에게 하고 싶은 일과 할 수 있는 일 해야만 하는 일이 하나로 연결된다. 결국, 지금 하고 싶고, 꼭 누군가는 어려운 길 걸어야 한다. 돈 관리를 알려주고 바꿔 나가는 가정을 살리는 사람이 필요하다. 위기의 가정을 구출하는 자세로 재정 상담을 한다. 4시간을 신이 나서 말한다. 얻어지는 것들이 많다. 관심 손길이 누군가에게 변화의 불씨가 되기를 바라며, 엄마가 바뀌면, 가족 모두를 구원한다는 마음으로 진심을 담아 상담한다. 그래서 행동의 변화가 시작되는 게 아닐까.

아무도 빚에 대해 말하지 않지만, 외면하기 시작하면 도미노가 순식간에 무너진다. 빚을 무겁게 여기고 빠르게 정복하자. 초단기간 갚아냄에 기쁨을 맛보길 바란다. 가장 빠른 길이 빚 갚으며 돈을 불리기다. 목표를 최대한 높게 잡고 달성해 나가보자.

※ 출처: 프로세서 이코노미 저자 오바라 가즈히로 출판인플루엔셜2022.05

재정 성적표를 작성하자

학생 때는 성적표가 중요하고, 성인에게는 재정 성적표가 중요하다. 우리 삶을 풍요롭게 하기 위한 돈 공부 필수시대. 학생 때 공부 습관이 하루아침에 생겨나는 것이 아닌 것처럼. 돈 관리 역시 배우고 만들어야 한다. 불안을 조장한 보험들이 노후 준비를 방해하고 과도한 사교육비, 여행 등이 다람쥐 쳇바퀴를 돌 듯 멈출 수 없게 한다. 소비의 늪에 빠지면 답을 찾지 못하고 익숙해진다.

셔츠의 단추를 잘못 낀 경험은 누구나 있을 것이다. 잘못 낀 상태에서 빨리 알아채고 새롭게 채워야 한다. 목적지를 정하지 않고 길을 걸어가듯 악의 구덩이 속으로 안내한다. 그곳이 구덩이란 걸 알 수 없다.

많은 가정에 보험을 가지고 있다. 좋은 보험과 잘못들은 보험의 정의를 내리는 것은 각자 해야 한다. 가정에 맞게 바꿔야 한다. 많은 금액을 보험금으로 내고 있다면, 바로잡아야 한다.

가족이 많다면 보험사 협동조합을 만들어 스스로 관리하자.

우리는 30일 월급을 받기 위해 시간과 노동하면서 고정비와 변동비로 빠져나가고 누군가 만들어 놓은 시스템으로 돈은 사라진다.

주말이 되면 여행을 데리고 다니고 주거비, 체험비, 식비, 주유비 등이 발생 되고 있다. 전국 여행지가 개발되어 체험이 다양해져 소비를 불러일으킨다. 소비의 덫의 유혹에 빠져 가난에서 벗어날 수 없게 만들기 때문에 현명한 소비를 지향해야 한다.

현재의 삶에 얼마짜리 음식을 먹어야 만족할 것인지 기준을 세워야 한다. 모든 걸 최고로 한다는 것은 가난으로 가는 지름길이다.

원하는 방향에만 중점을 잡고 걸어가자. 0부터 100이 될 때까지 과정이 있다. 돈을 모으는 과정, 무언가를 배우는 과정에서 0과 1이 되기 위해 노력하는 시간과 인내심이 있어야 하듯 모두 그러한 과정을 거쳐서 돈이 모이는 시간이 필요했다. 단계를 뛰어넘으려 하지만, 차곡차곡 밟은 사람은 돈을 지켜내는 단단함이 있다.

누군가가 만들어 낸 결과물을 과정은 아예 모른 채 한순간에 이뤄진 것처럼 느껴지고 지레 겁을 먹기도 하고 힘들다고 포기하기도 한다. 적은 월급으로 부동산 투자를 한다는 것은 돈이 없다고 선뜻 도전하지 않는다. 남들처럼 월급이 적다고 포기할 수도 없고 일정 기간 희생하는 과정을 거쳐야 한다.

우유 배달하며 병원 다니고 걷고 자전거를 타고 도서관을 다녔던 나의 30대 시절. 정신과에서의 경험이 삶의 큰 영감을 주었고, 만나는 이에게 채워주고 싶은 것들이다. 짬짬이 책을 읽고 글 내용을 생각하는 시간이 즐겁다. 장소에 구애받지 않고 해냄을 기억하자. 시간을 쪼개며 쓴 경험을 잊지 말자. 이젠 다시 돌아갈 수 없는 시간이다.

엄마의 정신 맑음이 딸에게 이어지지만, 매일 맑음이 지속되지 않고, 가끔은 우울로 이어지고, 극복해 나갈 힘이 생긴다. 엄마에게서 받은 우울감이지만, 자녀에게 대물림 되었어도 두 딸은 이겨낼 힘이 있다. 내가 견뎌냈듯 너희도 할 수 있어. 엄마는 엄청 강한 슈퍼 우먼파워가 생겨난다.

나눌수록 더욱 풍성해진다. 추운 겨울 새벽에 일어난다는 것이 사실상 곤욕스럽기도 하지만 해야 한다는 의미에서 하게 되는 것 같다. 재테크 역시 그런 게 아닌가? 빠르게 시작하자. 제일 늦었다고 생각할 때가 가장 빠른 때라고 한다. 재테크를 처음 시작할 때 빨리 갈려고 한다. 자신만의 강점을 알고 개발할 때 비로소 빛날 날을 위해 묵묵히 해나가는 것이다. 책은 새로운 시각을 열어주고 행동은 변한다. 새로운 꿈을 갖고 도전하게 된다. 예전에는 안 된다고 생각했던 것이 될 수도 있겠다는 마음이 바뀐다. 사람이 각자 변화하는 시기가 다르다. 마음을 여는 정도에 따라 행동이 바뀔 수 있는 것은 작가분들의 경험을 보고 행동하는 마음이 들기 때문이 아닐까?

다양한 사람을 직접 만날 수 없기에 책으로 배움을 갖는다. 다들 비슷한 고민을 하고 더 나은 삶을 살아가기 위해 고민하는 과정을 겪는다. 하루를 살더라도 기쁘게 살아갈 수 있다면 얼마나 좋을까 생각해 본다.

지금까지 살아온 방식이 아닌 새로움을 추구해야 한다. 그 새로운 것에 책(마음 관리)과 걷기(건강관리), 돈 관리를 해보자.

`언젠가 할 거야`라는 말 대신 바로 실행하는 행동을 해보자. 작은 것부터 좋다. 사소한 것이라도 일단 하는 것을 추천한다.

자꾸 어려운 길 보다는 쉬운 길, 편안한 길을 선택 하는 건 아닐까? 누구나 한 번의 인생이지만 그들은 이뤄낼 수 있는 원동력이 무엇일까? 궁금해 한다. 특별하지 않은 그들은 어떻게 부자가 되었는지를 찾아보자.

저렴하게 배울 수 있는 것이 책이 아닐까? 다양한 스승을 책 여러 권으로 배울 수 있는 것을 실천하지 못하는 이들이 많다. 책과 신앙의 공통점은 `겨자씨` 만한 믿음이 내 마음 밭에 떨어져 꿈과 신앙을 함께 키워간다.

신앙의 크기만큼 부자가 될 수 있다는 가능성을 함께 키워간다. 혼자서는 불가능한 것을 아버지인 하느님과 동행하는 삶을 산다.

신앙이 없는 분들은 우주의 기운을 믿으라고 한다. 자신을 믿고 성장할 수 있다는 마음으로 온 힘들 다해 집중해 보자. 누구나 부자가 될 수 있다. 그것을 열 수 있는 것은 자신만이 할 수 있다. 혼자서 어려울 땐 살짝 잡아주고 밀어줄 동료가 필요한 게 아닐까. 그 역할을 함께 해주고 싶어서 모임을 만들었지만, 무료라는 이름은 행동력을 늦추게 만든다. 유료일 경우는 사람들이 열광을 만들기도 한다. 무료와 유료 사이에서 고민하게 된다. 언제까지 무료일 수는 없을 것이고, 1을 받으면 10개를 주려는 노력은 뒷받침되어야 한다. 누군가를 가르치기 위해선 더 많이 배우고 익혀야 한다. 그리고 행동하지 않는 사람을 믿고 따라 할 바보가 있을까. 그래서 먼저 빚 갚는 모습을 보여준다. 직접 보고 맛보길 바라는 마음으로 자산을 공개한다. 돈이 줄어드는 모습을 간접 경험해 볼 수 있다. 빚은 게임을 하는 것처럼 재밌게 갚아보자.

사랑을 받아본 자만이 사랑을 나눌 수 있고, 고통을 겪어본 이들만이 고통을 말할 수 있다. 신이 우리에게 고통과 시련을 주신 이유는 그 시간을 이겨내고 혼자가 아니었음을 깨닫길 바라는 마음에서 선물로 주셨다.

그 시간을 이겨내고 비로소 행복을 찾아 떠나는 여정에서 함께 걸어갈 동반자를 보내준다. 고통에서 허우적이는 이들에게 손 내밀어 줄 수 있는 사람이 되자.

가난을 겪어봤기에 가난을 말할 수 있고, 부자가 되는 과정을 경험해 보았기에 부자가 되어야 한다는 것을 생생하게 말할 수 있다. 물질의 풍요로움은 혼자서 누리기보단 함께 나눌 때 배가 되어간다. 누군가에게 도움이 될 수 있는 영향력을 가진 자가 되어 성장해 보는 것은 어떨까?

어릴 적 결핍이 지금의 나를 만들었듯, 돈에 대한 치열한 고민이 재정을 관리하는 힘을 갖게 되었다. 살면서 학교 성적을 관리하듯 재정 평가서를 수시로 확인하며 버는 돈에 모이는 기쁨을 알아가며 바꿔 나가보자.

희생은 당연하지 않다.

손이 꽁꽁 얼 정도의 매서운 추위다. 눈 온 다음이라 피부에 닿는 체감 온도가 낮다. 장갑을 꼈지만 금방 손이 시려온다. 이 추위에 자전거 타고 출퇴근이라니? 미련스러울 정도로 혹독한 겨울철 극기 훈련을 하는 것처럼 정신 무장하기에 딱 좋다.

누군가 강제로 시킨 것도 아니지만, 이렇게 절약하고 애쓴다는 것을 누가 알아주지도 않는다. 다만 비 온 다음 땅이 굳어지듯. 굳은살이 베여 단단해진다. 하지만 아직 상처받고 마음에 앙금들이 남아 있는 철부지 스무 살 같은 여린 여인네일 뿐이지만, 그 마음을 알아주는 이가 아무도 없다.

남편은 최고의 내 편이길 바라지만, 남의 편이라고 남편 불린다. 우리 집에 최고의 비평가 인분, 타인에겐 한 없이 친절하지만, 내겐 가끔 부탁할 일이 있을 때만, 부드럽게 `정희야` 하고 부른다. 엄마에게는 지극한 효자지만, 둘 사이에는 아들일 뿐 엄마를 상처 주는 아내로 무관심으로 침묵하며 가정의 불 난을 일으키는 사람이 되었다.

내 자식도 마음대로 되지 않는 것이 사람인 것을. 여자는 여자의 마음을 제일 잘 안다고 하지만 내 마음을 알아주는 사람은 가정에 없다. 사회 밖에서는 다들 위로하고 공감해 주지만, 결혼한 사람에게 아이를 낳은 사람들에게 무게가 짊어져 가는 현실 속에서 어떻게 살아야 하는지 많은 고민에 빠진다.

부모님처럼은 살지 않겠다며 다짐해도 비슷한 모습으로 사는 걸 보면 보는 것이 얼마나 중요한지를 깨닫게 된다. 좋아하는 일을 하면서 자유롭게 돈 걱정 없이 살 수는 없는가?

양가 부모님의 반이 딱 내 모습인 것 같다. 그렇게 나만의 이미지를 만들고 어떤 모습으로 살아갈 것인지 고민하며 수정해 나가고 있다. 결혼이라는 규정에 묶여서 꿈을 포기해야 하나요?

올해는 명절에 집에서 보내는 것이 참 좋았다. 설날에는 둘째가 코로나 확진 동선이 겹치는 바람에 의도치 않게 집에 있었다. 코로나가 주는 선물처럼 모처럼 가족과 함께 보내는 명절이 자유로웠다. 명절의 의미는 가족이 모여 함께 음식을 나눠 먹고 친목을 도모하는 것이다. 꼭 음식을 해 먹어야 맛일까? 제사를 지내야 하는 건지 매년 의문이다. 시대가 바뀌면 여자들에게도 자유를 선물해 줘야 하지 않을까?

젊은 20, 30대는 결혼, 출산도 하지 않겠다고 선언한다. 결혼하면 신랑 집안 어르신들의 제사를 책임져야 하는 사명감을 부여받는다. 장남만 자식이고 차남은 책임감이 줄어드는 것인지. 집안마다 어떤 자식이 제사를 지내는지는 다르다. 명절 전후 후유증을 호소하는 며느리들에게 자유를 선물해 주자. 코로나 때 거리 두기 광고에서 부모님께서 고향에 오지 않아도 된다는 말이 어찌나 반가운지 명절 음식 마련하는 대신 대체할 방법은 없는 걸까?

어른들은 어차피 먹는 것이라지만 하루 이틀 먹는 양이라고 과할 정도의 많은 종류의 음식을 차례상에 올린다. 물품 구매와 손질 등이 어렵고, 젊은 세대의 생각과 어머님과의 갈등을 해결할 방법은 없는 걸까?

누구보다 어머님을 좋아했던 나조차 명절에 `거리 두기` 하며 마음이 편치 않는다. 건강한 몸도 아닌데도 제사에 집착하듯 자신을 돌보지 않는 모습에 화가 났다. 서울 한번 가는 것도 힘든 마당에 명절 앞두고 있어서 항암 일정이 이틀 뒤 받을 수 있음에도 날짜를 명절 후로 변경하면서 기차표 예약이 안 된다며 화를 내시는 모습에서 욱하고 화가 올라왔다.

자식들이 바쁘고 힘들다는 것을 헤아려 줄 수는 없는지 조금만 생각해 본다면 효율적인 방법을 택할 수 있을 텐데, 아픈 사람이 집에 있으면 온 가족이 신경이 곤두서기도 한다. 늘 친정 부모님은 자신들이 알아서 병원 다녀 주시니 감사할 따름이다. 가까이 있어주지 못하는 미안한 마음이 올라오면서 화가 났다.

엄마보다 더 잘하려고 노력했는데, 몸은 편할지라도 야단치는 모습이 싫었다. 잘해줘도 호강에 겨웠다는 남편의 말처럼 문제를 애써 만드는 싸움꾼 되었다. 친정, 시댁도 마음 둘 곳이 사라졌다.

시어머님께서 한 번씩 집에 올 때마다 전날 가족들과 다투게 된다. 아이들에게 화풀이하게 되고 생활 흐름이 깨진다. 서로 사는 방식이 다르지만 배려하고 존중해야 건강한 관계가 된다. 옛날 어른들은 대가족이 한 집안에 머물렀다는데 요즘은 상상하기도 어려울 정도로 개인화로 바뀌었다. 자주 시댁을 가다가 아이들이 커가면서 점점 횟수가 줄었다. 싸움이 있고부터는 그마저 더 줄었다. 무소식이 희소식인 것처럼, 각자 자신의 삶을 멋지게 살아내고, 즐겁게 만나서 음식을 나눠 먹고 웃고 떠들 수 있는 건강한 가족이 되면 좋겠다. 자녀들이 오고 싶은 마음이 들도록, 해주면 어떨까. 코로나의 `거리 두기`처럼 가족 간에도 약간의 거리 두기가 필요하다. 가까운 사이일수록 서로 선을 지켜야 건강한 가족을 유지해 낼 수 있다. 코로나로 다시 돌아갈 수 없듯, 화해한 뒤 다시 예전처럼 돌아가긴 어렵다. 그러려니 하며 마음을 많이 비워 내신 것 같다. 자녀의 걱정은 잠시 접어두고 자신만의 행복을 향해 걸어 나가길 기도 한다. 세상에 모든 건 당연하지 않다. 한 사람에게 희생을 강요하며, 50년간 제사로 짊어진 몫을 내려놓을 수 있도록 만들면 어떨까. 어머님껜 제사가 신과 같았다. 20대의 꽃다운 청춘을 가족들을 위해 희생했다. 이제 편하게 자신의 삶을 살았으면 좋겠다.

3 무엇을 소유할 것인가?

빈 통장에도 웃는 이유

부자가 되는 것은 작은 습관으로 시작된다. 잘못된 습관을 걷어내며 단순화하기. 빚 갚는 습관은 반복해서 만든다. 사람들이 생각하지 못한 것을 행동으로 보여주고, 새로운 시각을 갖게 만든다.

내가 과연 누군가를 가르쳐 줄 그릇이 되는가? 돈을 갖고 싶은 마음과 빚을 갚는 방법을 찾는데 고민했다. 두 어깨에 빚을 짊어지고 남편과 함께 일을 하면서 관점 전환이 중요했다. 메인 jib잡과 side job(사이드-부업) 늘 나에게 서브 아니냐고 했는데, 말이 씨앗이 되어 부업을 하는 사람이 되었다. 병원 근무와 배달하는 나에게 해도 그만 안 해도 그만이라고 하는데 오기였는지 발끈하며 9년을 꾸역꾸역 버텨냈고, 원하는 바를 이룬 것이다.

몇 달간 쿠팡 일자리를 구해서 일을 했다. 일이 없을 땐, 선택받은 사람만 갈 수 있다. 내가 원하는 날이 아닌 그들이 원하는 날에 가야 일자리를 얻을 수 있다. 쿠팡 말고 일자리가 없을까. 의미있는 시간을 보낼 수 있는 일자리를 찾는다.

소중하게 키운 자녀가 결혼하게 된다. 며느리를 둘이 생겼다. 첫째 며느리는 돈 관리가 되지 않고, 있는 족족 모두 써버리고 아들의 등골을 빼고 좋은 것만 찾는다. 버는 것 이상을 쓴다. 둘째 며느리는 돈 관리를 잘하고 저축하고 투자에 능하며 타인의 마음을 헤아릴 줄 알고 나누는 것을 잘한다. 어떤 며느리를 고를 수 있을까. 한쪽만 잘 키운다고 되는 게 아니다. 경제를 아는 사람을 남편으로 선택해야 한다. 두 자녀를 키우면서 부모님께서 손녀에게 십만 원을 주면 아이들은 돈을 무방비 상태로 쓴다.

<아기 돼지 삼 형제> 튼튼한 집을 지어야 하는데 우리는 어떤 집을 짓고 있는지 확인해야 한다. 노후 자금 부족한 부모를 둔 자녀와 부모님의 성실함이 만들어 낸 부모, 그에 따른 자녀들은 선택하게 된다. 남편과 나 사이에 감정의 골도 있지만, 시댁과 친정 사이의 경제적인 부분을 말하지 않을 수 없다. 나에게는 교훈이 되어주지만, 버는 소득을 집이라는 매체에 깔고 앉아 있으면, 5억과 10억을 가진 자는 노후에 나눌 수 있는 것들이 많다. 지방은 더 낮은 하급지로 주거를 옮길 수 있다. 우리는 삼 형제 이야기 속에서 바람에도 흔들리지 않는 집을 지어야 하는 사명이 있다.

나는 어떤 집 짓고 있는지 확인하자. 어떠한 상황에도 흔들리지 않고 지켜낼 수 있는 자산에 투자하고 불려 나가면 좋겠다.

`빛 좋은 개살구`의 삶을 살며 자신의 분수에 맞지 않은 사치를 부리느라, 일하는 건 아닌지. 살펴봐야 한다. 열심히 벌어드린 만큼 잘 쓰고 나눠야 한다. 세상에 거저 얻어지고 당연한 건 없다. 부모에게 바라지 않고, 결혼을 시작으로 부모로부터 완전히 독립하자. 옛 어른들은 자나 깨나 자식 걱정에 잠 이룰 날이 없다고 한다. 엄마들이여, 자신의 텅 빈 곳간을 지켜 튼튼한 부동산 자산을 키우며 안전한 기반을 잡고 텅 빈 통장에 돈이 쌓이는 날을 만들자. 빚은 점점 줄어든다. 다이어트처럼, 눈덩이 빚은 점점 사라져 살찐 송아지를 키우듯 돼지 저금통에 돈이 쌓일 날을 기대해 본다.

하나에 몰입하는 힘

나의 강점이 차츰 만들어진다. 어릴 적에 공부를 못했다는 것은 공부하는 방법을 알지 못했고, 포기가 빨랐다. 오빠와 반 친구들이 넌 이거 못해? 라고 할 때 오기로 잘하려고 노력했다면 어땠을까. 타인이 던진 그 말이 내 머리에 박혀 행동을 막아버렸고, 스스로 `못해`하며 합리화하듯 잘하지 않음을 선택하며 그 말에 갇혀 버렸다. 왜? 나는 공부를 못했을까? 분석해 보거나 간절히 바라면서 끝까지 해보려는 의지력이 타인보다 낮았던 것이었다. 공부하는 습관이 형성되지 않았고, 지금 아이들처럼, 칭찬받는 시대가 아니었다. 공부 잘하는 아이들이 인정하는 시절, 못하면 무시당했다.

과거의 모습과 선생님은 달라졌다. 자녀를 키우며 사교육 시장이 활성화와 부모의 의식 수준의 변화가 더 좋은 환경으로 이끌어 주게 된다. 이거 알아? 엄마도 모를걸, 하며 남편과 딸은 엄마의 부족한 부분을 콕 집어 말한다. 그들은 나의 부족한 부분을 덮어줄 마음이 없다. 과거에는 오빠로부터, 지금은 남편으로부터 그런 비난의 말을 듣고 산다. 요리를 잘하지 못했지만, 그럼에도 한다. 그렇지만 남편은 요리하지 않음을 선택한다.

우리는 각자 잘하는 것들이 있다. 청소와 요리, 엄마의 집안일보다 글을 쓰거나 성장을 위해 투자하는 시간도 부족하지만, 잘하고 싶지 않은 일에 완벽하게 해냄을 요구한다. 글을 쓰는 데에는 부족함이 많아서 쓰고 지우고를 반복함에도 계속하고 싶은 힘이 있다면, 요리나 엄마의 일은 하고 싶지 않고 게으름피우고 싶은 일이다. 우리가 운동을 피하는 것처럼, 내겐 운동보단 돈 관리를 잘하듯 각자 자신만이 잘하는 게 있다. 모든 걸 알아야 하고 잘해야만 하는 걸까. 아직도 남편에게 아이에게 못한다는 것을 비난으로 들어야 할 나이일까. 가족에게 다시 질문하고 싶다. `미역국` 끓일 수 있어? `소고기국` 끓일 수 있냐고, 각자 잘하는 걸 하고 살자.

엄마의 완벽한 모습을 아내에게 요구하고 있는지도 모른다. 있는 모습 그대로 받아줄 마음이 없다면, 마음이 가는 데로 하고 싶은 것을 하며 살아간다.

각자 주어진 달란트가 있고 방식들이 저마다 다르다. 남편들이 쓰레기를 버리지 않고 미루는 것처럼 모든 삶에 미룰 수 있는 것들이 있지만 미루게 되면 큰 화를 끼칠 것들이 많다. 돈을 미루던 때가 있었지만, 빚을 정면으로 마주하게 되면서 돈을 지켜낼 힘이 생긴다. 무엇을 미루면 큰 화를 부를까?

지나온 시간을 돌아보면 큰 이벤트에는 많은 돈이 들기 마련이고 이벤트를 하며 돈 지르심이 다녀가신 자리엔 빚이 남기 마련이다. 좋은 것을 선택하면 좋겠지만 가난함을 이끄는 소비는 형편에 맞는 소비로 하지 않음을 선택할 지혜가 필요하다. 최고를 원한다면 과연 감당할 수 있는 사람들이 많이 있을까?

어릴 적부터 실손 보험과 엄마가 생명보험 가입한 덕분에 돈을 벌었다. 보험 역시 물가에 따른다. 시대에 따라 콩나물값이 정해지듯, 보험은 필수제가 되었다. 실손 보험은 국민 보험이라고 불릴 만큼 많은 가입자를 보유하고 있고, 가계에 현금 흐름이 원활하게 돌아가도록 방어를 해주는 효자 보험이라 생각한다.

2007년 간호조무사 시험 치르기 전 삼성 sdi에 다닐 때 시험을 보기 전 미리 문제를 풀어보고 공부하던 습관이 무사히 시험에 합

격할 수 있었다. 벼락치기에 안 좋은 습관을 극복하려고 미리 준비했다. 이렇게 성취한 경험이 간호조무사 시험 준비에 도움이 된다.

어렵게 들어간 삼성 sdi 주간과 야간, 근무하는 생산직 직원들의 고충을 경험하게 되었다. 12시간. 8시간 근무를 통해 기계처럼 일하던 것. 내 삶을 돈과 바꿔야 한다는 것, 보이지 않는 미래. 과감히 사직서를 내고 또 다른 길을 찾는다. 지나가는 과정과 경유지에 따른 다른 목적지로 이어지기도 하지만, 헛된 것은 없다. 언젠가 쓰일 날이 있다고 믿고, 때가 되었을 때 자격증을 꺼내 쓸 날을 위해 보관해 두었다고 생각하자.

인생의 문제가 수학 문제를 풀듯 푼다고 바로 풀리지 않아 애를 먹었다. 하나의 답만을 찾기 위해 노력하지 않고 돈 관리에는 하나에 집중해 빚 갚는데 쪼갠다. 자신의 문제를 타인에게 편승한 채 맡기지 않으면 좋겠다.

제일 어리석음은 가진 것이 없는데, 있는 척하는 것. 인정하자. 빚내서 결혼하고 남들이 해외에 간다고 따라가지 말고 핸드폰 신제품의 유혹에도 흔들리지 말고 적당히 소비하자. 좋은 것 누리며 살다 노인이 되어서도 소일거리 찾지 않도록 미리 준비하자.

주말에 유모차 끌고 폐지 줍는 노인분이 있다. 그들을 왜 거리로 나오게 되었을까. 폐지를 서로 주우려 한다. 병원에 신문을 서로 가지고 가려고 하듯 가난한 이들은 적은 돈을 벌기 위해 거리에서 폐지를 주우며 주변을 깨끗이 정리를 해준다. 폐지 버릴 때는 가지고 가는 분을 생각해서 상자를 분해해 주는 이들보다 그저 편하게 툭 던지는 이들이 많다. 잠시 시간 들이면 되는데 배려심이 없다.

상자에 쓰레기를 담아내는 사람. 쓰레기 봉지에 분리배출, 음식물 통 씻지 않는 경우, 지구가 병 들어간다. 쓰레기 봉지 역시 돈인데 아까움을 모른다. 지금도 우리 가정은 새벽마다 배달하면서 재활용품 중에 쓸 만한 것은 가지고 와서 사용한다. 새것에 의존하진 않는다. 절약하는 대신 꼭 필요한 것에 지갑을 연다. 아이들에게 자연스럽게 교육이 된다. 엄마 아빠의 행동이 아이들의 삶에 원칙을 세워준다. 엄마의 자리에 언니가 동생을 챙기는 모습, 버스 타고 성당 가는 연습, 모든 건 부모가 채울 수 없다면, 서서히 자신이 할 수 있는 자립을 만들어 주는 것 또한 부모의 역할이다.

학교 공부보다 더 의미 있는 경험을 하면서 함께 살아가는 공동체 경험을 중요하게 생각한다. 미술. 음악. 줄넘기 등을 통해 스스로 단계 올라가는 법을 배우고 재능을 쌓아간다. 때론 어려움을 겪기도 하지만 포기하지 않는 법을 배운다. 어릴 적 꾸준히 해내는 힘이 어른이 되어서 다양한 경험으로 성취감을 맛보게 될 것이다.

엄마가 해보지 못한 실패담이 자녀 양육에 많은 도움이 되었다. 자녀만큼은 마음의 상처를 받지 않고, 편안한 길을 만들어 주려 애를 쓴다. 가난함을 우리 대에서 끊기 위해 오늘도 열심히 남편은 일을 한다. 배달하는 3일도 있지만, 일찍 반퇴의 삶을 살고 있는 걸까. 매일 바쁜 남편과 다르게, 열심히 달리다 잠시 쉼이라는 여유가 주어졌지만, 방어되지 않은 상태에 직장이란 울타리를 만들려 한다. 무방비 상태에 은퇴의 시간이 주어지기 마련이다. 미리 대비하고 준비하고 잘하는 일에 집중하며 살아가길 바란다.

엄마의 행복한 나들이

내게 기적 같은 하루를 선물 받았다. 2023. 4. 22.

홍대 mkyu 북콘서트 다녀왔다. 김미경 멘토님 직접 만난 감격에 기뻤다. 언니의 독설, 꿈이 있는 아내는 늙지 않는다. 이 한마디가 나를 살렸다. 김미경의 리부트, 김미경의 마흔 수업 등 수많은 책을 쓰셨다. 온라인 강의하는 모습을 tv 유튜브로만 보다가 당첨된다고 믿었다. 마흔이 되어서 답답한 여러 사건에 질문을 속 시원하게 풀어내 주신 작가님 강의 들으며 실제로 묻고 싶었던 말들이 다들 비슷한 문제를 가지고 있었다. 그들의 질문이 나의 질문과 다르지 않고 각자 순서만 조금씩 다르게 올뿐이었다.

아나운서의 질문에 답하며 축하 선물로 책 한 권을 선물로 받았다. 친필 사인을 받고 선생님과 사진 찍는 영광을 선물로 받았다. 처음 작가님 들어올 때 울컥해서 눈물이 났다. 언니의 독설은 내게 진심을 담아 위로와 사랑을 전해준 책이었다. 인생 수업 책은 마흔을 살아가는 내게 길을 안내해 주는 책이고, 할 수 있어. 멈추지 말고 너의 길을 걸어가라고. 함께 하자라는 말을 건넨다.

우리는 누구보다 따뜻한 진심 어린 조언을 하는 김미경 언니를 좋아했다. 사인할 때. 정신과 근무해요. 아이들은 5학년, 1학년이에요. 라는 말 이외 다른 말을 할 수 없었다. 너무 기쁜 나머지 다른 할 말을 잊어버리고 얼음이 된 것이다.

아침에 ktx 타고 가는데 버스와 지하철. 택시비 6800원 열차 10시 44분 시간이 늦어 기차 취소 수수료 사천 원, 일정을 다 마치고 나니 4시였다. 작가님 만나는 설렘에 점심 먹는 것도 잊고 강의에 몰입했고, 걸어오는 길에 집에서 갖고 온 주먹밥을 먹으며 걸었다.

옛날 어른들이 하시는 말은 우리를 행동하지 못하도록 막는 말들이 많지만, 작가님은 하기 싫으면 `하지 마`는 말이 마음이 와 닿는다. 엄마가 집에 있지 않는다고 아이들이 안 크는 것 아니란 것과 각자 자신만의 길이 있고 꿈이 있기 마련이다. 아이에게 맞지 않은 걸 강요할 수 없다. 잘하는 것을 해나가는 것과 사랑을 많이 주라는 것이 핵심이었다.

스스로 중심을 잡고 마음을 잡는 것과. 힘들 땐 쉴 공간이 있어야 한다. 감사 일기 5줄 이상 매일 쓰기. 해보라고 하셨다. 아침 감사 일기를 쓰는 시간을 의식적으로 만들어야겠다. 너무 잘하려 애쓰지 않고 습관으로 만들어질 때까지 지속해 나가는 것. 중요하다. 걷는 것을 습관들이듯 우리에게 코어 근력. 마음 챙김이 필요했다. 우리에게 감동과 사랑을 나눠주신 선물. 다른 사람의 이름이 불리지 않는 자신의 이름을 찾고 싶다.

바깥에 오랫동안 자리를 비우면 아무 일도 일어나지 않고 오히려 평온하다. 전화 오지 않는 것이 이상하게 느껴져 먼저 전화한다. 내가 아니어도 아이들이 독립적으로 행동할 만큼 키워낸 것이 뿌듯하다.

내 욕심이 많아서 구속하려 한다는 것. 성장할 수 있도록 지지해 주고 응원해 줘야겠다. 아이들 키우느라 서로 크지 못한 둘을 위해 본사 대주주로써 함께 상생할 수 있다.

누구에게나 기회는 온다. 기회는 준비된 자에게 오는 기적 같은 것이다. 부족하고 서툴지만. 경산에서 서울로 가는 것처럼. 빠르게 가기도 하고 느리게 가기도 하는 인생 열차처럼 그렇게 갈 때는 빠르게 늦을 때 택시도 타고 취소 수수료라는 큰 대가를 내야 하지만, 가지 않을 이유보다 가야만 하는 이유를 만들자.

타인의 말에 흔들리지 않고 가보는 것. 자신에게 집중하자. 글을 쓰는 것처럼. 집에 갈 때는 무궁화를 타고 천천히 나에게 집중하며 시간을 보낸다. 아이가 없는 시간 잠시 집을 비우고 글을 쓰는 시간을 써도 좋겠다는 생각이 든다. 집에서 잘 안된다면 장소를 옮겨 보는 것도 좋겠다.

1년이란 시간이 흘러 조금씩 상황이 변한다. 직장이 사라진 자리에 나만의 길을 만들려 한다. 타인이 만들어 놓은 열차에서 과감히 내림을 선언한다. 인생이란 기차를 타고 나와 비슷한 생각을 가진 이들을 함께 태우고 앞으로 나아가길 선택한다. 부를 향해 떠나는 종착지라는 인생은 그리 길지 않다. 타인의 시선에 아랑곳하지 않고 나를 사랑할 때 비로소 타인에게 사랑받을 수 있는 자신감이 생겼다. 자신이 하고 싶은 일만 해도 되지 않을까. 행복한 삶을 위해 도전은 계속된다.

자녀와 자산 키우기

물가가 높아져 힘들어졌다는 사람들이 많다. 주말 생각지도 못한 지출로 황당했지만, 카드 빚을 지지 않으면 괴롭지 않다. 이미 소비한 것은 시간이 지나면 잊는다. 장을 봤다고 하지만. 지출 항목에 식비 부분이 아닌 1회 2회성 음식이 포함된단 사실. 성장기 아이들을 키우니 돈이 든다. 지출 후 소비를 반성한다. 가다가 넘어질 수 있는, 불필요한 지출이 있기 마련이다.

비가 오면 차를 가지고 갈까? 걸을까 고민후 우산을 쓰고 걸어간다. 매일 차를 타는 대신 가끔은 걷는다. 새벽 4시에 일어나 남들이 잠든 시각 배달을 끝마치고 피곤한 가운데 아이들 학교 등원 준비를 시킨다.

남들처럼 별 의식 없이 무의식 지출을 통제하며 하지 않음을 선택할 때 부자가 될 수 있다. 화단에 예쁜 꽃이 피기 위해 씨앗을 뿌리듯 꽃이 자라나기 위해서 사랑과 정성. 물과 햇빛 공기 등 모든 건 어울릴 때 만들어진다.

누군가의 정성 속에서 아름다운 꽃을 구경할 수 있듯 배려하는 마음이 없었다면 예쁜 꽃을 만날 수 없었을 것이다. 아이들과 가족의 헌신과 사랑이 있었기에 재정을 탄탄하게 만들 수 있었다.

씨앗을 뿌리고 꽃이 자라나기까지 기다림이 있어야 하듯, 꽃을 오랫동안 볼 수 있도록 가꾸어야 한다. 혼자서만 보고 싶다는 마음으로 꽃을 꺾었다면 예쁜 꽃을 볼 수 있었을까?

각자 주어진 상황에 따라 자신의 인생을 기획하고 만들어 갈 수 있다. 전업을 선택할 수도 있고 일하는 엄마의 삶을 선택할 수 있다. 어떤 길을 걸어가든 자신의 길을 스스로 개척하고 나아갈 힘이 우리 안에 있다. 힘든 고난의 순간은 지나가기 마련이다. 이겨내고 앞으로 나아갈 수 있기를 기도한다.

돈을 원한다면 자신의 시간을 쪼개어 책을 읽거나, 투잡을 뛰는 선택이나 아끼고 주거 환경을 바꿔 지출을 수정하고, 누군가가 시켜서 하기보다 스스로 정답을 찾아야 한다. 자신의 상황을 제일 잘 아는 건 자기 자신이 아닐까? 지금 소비하는 것에서 줄일 부분은 없는지. 잘못 형성된 습관은 없는지 점검하고 방향을 바꿔 나가자. 시간은 누구에게나 공평하게 흐른다. 부자가 된 사람은 그만큼 대가를 치른 사람들이다. 가난을 일으키는 행동이 아닌 부자 행동으로 조금씩 수정해 보는 건 어떨까? 누구나 부자가 될 자질은 있다. 다만 부자가 될 수 없다는 마음이 행동을 밀어낼 뿐이다. 한계를 짓거나 밀어내는 마음에서 방향 전환을 해보자. 씨앗을 뿌리는 마음으로 예쁘게 필 때까지 사랑을 담아 키워내자. 수확할 때가 있다.

하느님은 계획이 있다.

주님께 맡겨 드리기 4에 담긴 의미를 되새겨 본다, 나에게 4라는 의미는 단순하게 죽음을 의미하는 분들과는 조금 다르다. 이름에 세례명을 붙인 건 같은 이름을 가진 작가가 많고, 천주교 신자임을 나타내며, 2007년 4월에 새롭게 태어났다. 41년을 살았지만, 신앙으로는 17살이 된 것이다. 하느님께 은혜를 빚진 파견된 사도로써 복음을 전파해야 하는 운명의 공동체라고 생각한다. 믿음이 있어도 끊임없이 멈추지 않고 하느님을 찾아야만 한다.

엄마는 젊어서부터 정신과 약을 드셨다. 그런 영향으로 정신과에 대한 거부감이 들지 않았다. 믿는 곳으로 청했고, 내게 딱 맞는 곳으로 불렀다. 환자가 많지 않을 거라 착각했다. 세상 문제 탓인지 환자는 점차 늘었고, 약은 점점 많아졌다. 정신과에서 9년간 근무하며 많은 약들을 지으면서 이게 과연 맞는 걸까 의문이 들기 시작했다. 우리는 익숙해진 것에서 습관으로 형성된다. 병원에 주는 돈과 시간을, 그리고 약물에 의존한 채 자신을 남에게 맡기듯, 우울증이 우리 삶을 어떻게 미칠 수 있는지 생각해 볼 필요가 있다. 연예인 삶을 보면 간접 경험할 수 있다. 믿음을 주는 사람과 나를 잡아주거나 보듬어 줄 수 있는 사람이 옆에 있었다면, 내 옆에 누가 있는지가 중요하고, 알게 모르게 많은 영향을 미치게 된다.

많은 이들이 화려한 연예인을 꿈꾸지만, 그곳을 가본 이들은 별게 아니라며 다른 곳을 향해 걸을 수 있어야 한다. 상처를 준 사람에게 회복되기까지 시간이 필요하다.

한곳이 닫혔다고 해서 멈추는 것이 아니라. 새로운 옷을 갈아입듯, 한 작품을 끝내고, 새로운 작품을 위해서 고민하듯 우리 삶은 연예인 삶에서 배울 수 있어야 한다. 자신이 최고의 배우라고 생각하고 나 자신을 위해서 살아가면 좋겠다. 이제껏 조연으로 살았다면 주인공이 되어보자.

망망대해를 달리는 어둠에서 벗어나려면 절대적 힘이 필요하다.

초등학교 때 죽고 싶어서 방에 혼자서 유서를 쓰고 남아 있는 약들을 모았다고 부모님께 말하지 못했다. 혼자서 상처를 부여잡고 버티며 애썼다. 남편은 나의 지난 상처를 헤집고 있다는 걸 모른다. 내게 학업 스트레스가 주는 어려움을 알지 못한다. 그 시절의 불안전 한 나를 차가운 학교와 직장에서 환영받지 못하고 비난에 익숙했던 시절이 있었다. 좋은 사람도 있지만, 흘러가도록 내버려두면 되는 것을 그들이 내 인생을 대신 살아주지 않는다.

타인에 의해 흔들리지 않고 중심을 잡을 수 있는 마음이 내게 없었다. 조금씩 자존감과 마음이 강화된 건 엄마였기에 극복해야 했다. 25살에 엄마가 내게 죽고 싶다는 말은 충격적이었다. 엄마에게 입 밖으로 꺼내지 못했는데 오히려 내게 말했지만, 엄마를 지켜낼 힘도 지혜가 없었기에 죽지 않고 살기 위해 신앙의 문을 두드렸다. 나의 선택이라 생각했으나, 하느님은 마침 준비하고 계셨다. 세상을 살면서 어려움과 슬픔과 괴로움으로 견뎌내기 힘든 시간에 믿음이 시작되었고, 시간이 흐르면서 스스로 목숨을 끊었다는 분의 말이 들려온다. 그 시간을 지나온 자로써 더 마음이 아련해 온다. 쌍둥이 중 한 명이 세상을 등졌다. 완전체에서 반을 잃어버린 동생은 형의 빈자리를 품에 앉고 슬픔을 견뎌내고 살아야 한다. 가까운 주위에 하나둘 죽음의 이야기가 들려 올 때면 혼자서 잘사는 게 아니라, 주변을 살필 여유가 있어야 한다. 부모는 못 해준 것만 생각하며 마음 아파한다. 지금이라도 남겨진 이들과 떠난 자녀를 위해 믿음을 가졌으면 좋겠지만 모든 건 때가 있다. 바빠서 하면서 미루게 된다. 믿음이 왜 중요 한지를 알지 못한다. 신앙은 삶에서 중심을 잡고 흔들리지 않게 버팀목이 되어준다.

자산 22억을 잃은 어느 한 엄마는 절망 속에서 살고 있다. 죽고 싶다고 말한다. 자식을 잃은 슬픔과 돈을 잃은 슬픔, 무엇이 더 슬플까. 급기야 그녀는 정신을 놓았고, 뇌에 이상으로 어린아이가 되었다. 남편과 자녀에게 돈이란, 어떤 의미로 다가올까. 많이 가진다는 것은 흘러가도록 타인을 돌볼 수 있는 이타적인 마음이 있어야 한다. 신앙이 꼭 필요한 이유를 여러 사건을 통해 알게 된다. 믿음이 있었다면, 어리석은 것에 투자하며 가진 것을 탕진하지 않았을 것이다. 가진 것을 나누느라 행복한 삶을 이어갔을 것이다.

죽음의 선택에서 방향 전환으로 이끌어 줄 수 있는 지혜가 필요하다. 우울증은 마음의 감기처럼 감정이 슬펐다가 구름이 지속될 때도 있다. 하늘의 구름을 관찰하는 걸 좋아한다. 죽고 싶을 때는 하늘을 보는 여유가 없다. 맛있는 음식을 먹고 나면 기분 좋다.

엄마의 행복은 아이들을 밝게 성장시킬 수도 있고, 우울하게도 만든다. 엄마의 마음을 살피고 아이들을 키워보자. 마음속 감기에 특효약은 약 먹고 쉬듯. 자신에게 기쁜 선물을 주며 돌봄이 필요하다. 타인의 마음 우울을 알아차림과 따뜻한 관심과 격려가 살리는 힘이 된다. 안아주고 다독여 줄 한 사람이 있다면 이겨낼 힘을 얻는다. 마음속 우울에서 벗어나 행복을 향해 걸어보자.

먼 나라 이야기처럼 느껴지는 죽음이 가까운 곳에서 일어나고 있다면, 직접적인 관계가 없다고 할지라도, 주위 사람을 살피고, 미리 예방할 수 있어야 한다. 나쁜 사건이 일어났다면, 일어난 사건을 극복해 나가도록 그들의 숙제이며, 새롭게 살아보자. 죽음이나 누군가의 실패는 의미를 생각하게 되는 교훈을 전해준다. 우리 주변에 건강한 사람과 관계를 맺고, 우선 자신이 건강한 자아를 지녀야 한다. 긍정 에너지는 긍정을 불러들이고, 부정의 에너지는 부정을 끌어당긴다. 나는 어떤 마음을 품고 있는가. 점검하면 좋겠다. 과거에는 부정적인 기운이 강했지만, 재편성으로 긍정적인 마음으로 전환할 수 있었다. 가난에서 극복해 나가듯, 우리가 원하기만 한다면, 뭐든 바꿔낼 힘이 있다. 오늘의 선택이 미래를 바꿔 나간다는 걸 믿고 걸어가면 좋겠다.

재편성으로 행복하기

가난함 대신 부자가 되어야 하는 이유를 찾자. 삶을 새롭게 재편성하는 작가다. 자신의 인생은 스스로 그리는 그림대로 형성할 수 있다. 우리들의 무의식에 자리 잡은 자의식은 잘못 형성된 설정일 뿐 잘못되었다는 것을 알았다면 재편성해야 한다.

드라마, 예능만 재편성 개편해야 하는 것이 아니라. 우리 인생 역시 재개편 다시 설정할 수 있다. 나에게 어떤 스타일의 옷이 어울리는지 알려면 여러 스타일의 옷을 입어봐야 한다. 퍼스널 컬러를 맞추듯 자신에게 무슨 색이 맞는지 확인한다. 시각의 전환이 우선 되어야 한다. 주위 가난하게 사는 사람들이 많다면 부자들의 삶을 볼 수 있는 책과 가까이하며 변화를 이끌어야 한다. 1%의 부자는 소수에 불과하다. 좋은 건 알겠지만 꾸준히 한길을 걷는다는 건 어려운 것 같다. 우리의 뇌는 새로운 것을 받아들이기보다 늘 같은 것을 선택하고 항상 같은 곳을 머문다.

간절히 원하는 것이 있다면 변화할 강력한 원동력을 만들고 새로운 방법을 찾을 수 있다. 처음부터 저축을 잘하는 사람도 운전을 잘하는 사람. 글을 잘 쓰는 사람. 영어를 잘하는 사람. 빚을 잘 갚는 사람. 사업을 잘하는 사람. 등이 아니었다. 어떠한 계기가 반복될 때 재능을 발견하게 된다. 어떠한 설정 값으로 인생을 설정해도 변한다. 돈 그 이상의 가치를 깨닫고자 하느님께서는 내게 삼성으로 보내셨다가 다시 밑바닥부터 시작하게 하셨다.

화려함에 숨겨진 미를 추구하는 분이 많은 피부과와 성형외과에 근무했다. 그리고 산부인과를 거쳐 정신과에 근무하게 된다.

늘 한곳에 정착할 수 없었는데 사람들 관계의 어려움을 겪으면 그만둬야만 하는 이유로 설정했다. 엄마가 되고는 피할 수 없었다. 최악의 상황은 침묵을 선택하게 하셨다. 위기의 순간을 맞이하며 고통의 속에서 지나올 수 있었던 것은 책과 하느님의 따뜻한 위로가 있었다. 극복해 나갈 강력한 처방책으로 성가를 부르기로 했다.

반복되는 일상에 조금씩 쉴 수 있는 공간이 필요했다. `젊은이여 노래하라`의 성가였다. 청년 시절 울림을 받고 치유 받은 걸 직접 부를 때 얼마나 감격스러운지. 시간을 쪼개어 쓰면서 잠을 줄여가면서 사는데도 하나도 힘들지 않았다. 아니 힘들지만, 힘들다고 징

징거리고 싶지 않았다. 대신 괜찮다고 말했다. 누군가에게 너 정말 `괜찮아`. 힘들지란, 말이 듣고 싶었는지도 모른다. 피곤하다고 하면 남편은 배달`하지 마.`라는 말이 돌아올 것이라 하지 않았다.

잠을 적게 잘 때는 4, 5시간 잘 때도 있고 8시간 넘게 잘 때가 있다. 익숙해진 것에서 조금씩 환경을 바꿔 가면서 변한다. 19년 성가대를 시작할 당시 빚이 많았다. 5년이 흘렀다. 혼자 빚 갚았던 시간보다 하느님 안에서 빚을 갚아 순식간에 갚아지는 경험을 실천으로 옮겨 나가고 있다. 눈물로 `하느님 저 빚 갚게 도와주세요.` 라는 말이 하늘에 닿았던지 행동을 바꾸도록 이끄셨다.

누구나 마음먹기에 달렸지만, 잘못된 설정 값에 의해 가난해진 상태에 빠진다. 타인이 쳐놓은 덫에 걸려 허덕거리고 있다. 헛된 꿈을 꾸고 일확천금을 노리기보단 자기가 제일 잘하는 것에 도전하자. 모든 걸 다 잘해야지 하는 것보다. 단 하나에 집중하며 하나씩 이뤄 나가보자.

내게 간절히 바란 건 빚 갚기였다. 부수적으로 성장시키는 도구로 책과 글쓰기를 선택했다. 엄마와 아이들 관계 안에 사는 것도 바쁜데, 어떻게 워킹 맘으로 살면서 집과 직장 성당, 성가대 활동을 해낼 수 있을까? 시간은 무한하지 않다. 과감하게 포기했다.

엄마들과 친목 모임을 하지 않는 대신 자신에게 집중하며 책을 읽는다. 초등학교 6학년과 2학년 두 딸이 있지만 연락하고 지내는 학모가 없다. 인생은 타이밍이다. 늘 비켜 간다. 둘째는 1학년 반 모임 만드는 이가 없었다. 누군가의 정보로 선택하지 않는다.

가는 길은 스스로 설정하고 개척하며 나아가야 한다. 각자 고유한 매력이 있는데, 그들에게 잘 어울리는 옷을 나에게 대입하며 입히려고 하지 말자. 엄마가 바라는 아이들의 성장이 아닌 스스로 좋아하는 일을 찾고 꿈을 꿀 수 있도록 든든한 지원자가 되어주자.

성당에 교리를 받으면서 중도에 포기하며 잠시 쉬기도 한다. 미술. 체육. 음악. 영어 등 배움과 신앙은 비슷하다. 어떠한 목적으로 신앙을 시작했는지 각자가 다르지만. 쉽게 얻어지지 않는다.

아이에게 줄 수 있는 최고의 유산은 돈도 지식도 아닌 신앙의 중심이다. 의사가 되는 공부. 법관이 되는 공부 등을 준비하다가 한계점에 도달해 나쁜 행동을 해서 타인을 궁지로 빠뜨리기도 하고 살인 등 엄청난 죄를 범하기도 한다. 마음속 결핍이 해소되지 않았기 때문이다.

점점 사회가 발전해서 부유해지고 있지만, 정서적 결핍을 가진 사람은 엄청 많다. 우울과 죽음을 고민하는 이들이 많다. 열심히 키워 놓은 귀한 자녀가 잘못된 길을 가다가 다른 아이를 죽음으로 몰고 가거나 극단적인 행동으로 옮길지는 아무도 모른다. 무조건 물질로 채워도 안 되고 정서적 채움이 함께 되어야 한다. 넘어져도 괜찮아하며 일어서는 법을 알려주고 널 위해 기도해 주는 이들이 있다는 것을 알려주고 마음이 따뜻한 아이로 키우면 좋겠다. 엄마의 행복이 곧 자녀를 성숙하게 키울 수 있단 사실을 믿어보자.

황금 부자상을 만들기.

과거 글을 보며 다짐을 비교하며 성장하고 있음에 감사한다.

나는 할 수 있을까?

나는 사랑받을 만한 사람일까?

나는 어떤 사람일까?

세 가지 질문에 스스로 답을 해봐야 한다.

간절한 꿈이 있나요? 저의 꿈은 빚 갚기에요. 한 방향으로 꾸준히 해나가다 보니 방향을 수정하기도 하고 노하우가 생기기도 하네요. 행동을 가로막기도 하고 두려움에 빠질 때도 있었지만, 포기하지 않기로 했다. 책을 써야겠다는 마음을 먹을 때도, 쓸 말도 없는데 내가 무슨 하면서 자의식 낮추는 말들로 행동을 가로막는 어둠을 걸을 때도 있지만 글을 잘못 쓰는데, `그냥 하자. `고 선택했다. 그렇게 해서 글을 잘 쓰겠다. 는 비난의 소리에도 흔들리지 않는다. 사람이 싸우면 뭔 말을 못 하냐고 하지만, 상처의 말이 행동을 멈추게 하지만, 가족이란 이름에 브레이크 거는 이들이 많다. 성경에 나오는 아담과 이브처럼 염려와 의심을 만들면서 행동을 가로막고 타인에게 나쁜 영향력을 끼치기도 한다. 짐작하는 말. 비평가적인 말들로 아이들 성장에 방해되는 말을 하지 않기.

부모라는 이름으로 자식이 가는 길을 가로막는 말 줄이기. 네가 뭘 한다고 그래. 공부 못 한다고 무시하는 발언. 자매나 형제 비교하는 말들. 우리가 무심코 뱉는 말들이 그들에게 성장을 가로막는 말을 한다. 나만의 길을 걸어 나가자. 자신을 존중하는 사람은 타인을 존중한단 사실. 영화 관상을 패러디해서 내가 부자가 될 관상인가? 의 질문에 타인의 답을 기다리기보단 우리 안에 `황금 부자상을 품어보자.` 내면을 성장시킬 수 있는 과거의 내면을 가로막는 말들이 성장을 멈췄더라도 재설정하면 된다. 자의식 높이는 마인드 컨트롤이 필요하다.

자의식은 작은 성장 성취감들이 모여서 내 안에 다이아몬드 같은 마음을 강화하자. 내 마음 밭에 보석을 숨겨 놓았다. 발견하고 만들어 갈 수 있는 사람은 부자상을 만들어 낼 수 있다. 뭐든 할 수 없을 것만 같았는데, 조금씩 변화하려는 마음을 품고 재설정 소비 패턴을 바꾸고 저축하는 습관 빚 갚는 습관. 책 읽기. 글쓰기. 미라클 모닝. 다양한 습관들을 만들면서 삶이 변화했다.

부모들이 원하는 자녀의 직업과 자녀의 꿈이 충돌할 때가 있다. 직장을 선택하거나 이직. 사업 등을 선택할 때 걱정되는 마음은 알지만, 평가하는 말은 하지 말자. 우리는 익숙한 것에서 벗어나려고 하면 그냥 하던 대로 해 뭘 그렇게 바꾸려고 해라는 말을 듣기 쉽다.

남편이 사업을 시작하려고 할 때 사람들은 그냥 회사 다니라고 한다. 자신의 인생은 스스로 개척해서 나아갈 수 있다. 부모님이 걱정하는 마음은 잠시 거리 두자. 자녀의 인생을 부모님이 대신 살아줄 수 없기에 말리는 대신 응원과 격려의 말을 건네주면 좋겠다. 믿고 기다리는 부모가 되어야겠다.

자신이 좋아하는 것에 몰입하며 성장할 수 있는 일이면 좋겠다.

스스로 길을 만들고 빛을 비춰줄 수 있다면 얼마나 좋을까? 남들이 다 하는 것 말고 새로운 시각. 자신이 그리는 대로 그려 나가길 바란다. 내 인생의 주최자가 되어보자.

돈의 주인 되기.

영혼까지 끌어당기며 빚 갚는데 몰입하자. 내 돈이 아닌 채로 살아가는 사람이 많다. 빚진 인생을 살면서 빚인 것도 모른 채 카드를 박박 긁어대며 산다. 미래에 돈까지 모두 끌어다 쓰는 것을 알면서도 외면한 채 살아간다. 믿는 구석이 있어서 쓰는 것도 아닌데 오늘만을 살아가는 사람처럼 그렇게 살았다. 누군가에게 지배된 채로 살았다. 카드사, 보험사, 쇼핑몰을 위해서 그들에게 시간과 돈을 빼앗기며 그렇게 영원을 약속하듯 헌신하며 살았다. 합리적인 소비라며 물건을 싸게 잘 샀다고 착각에 빠져서 그렇게 소비자로만 머물렀다.

부동산을 소유했고, 주인이 되었지만, 정부에게 통제되어 세금을 내고 은행을 위해 살았다. 월세가 들어왔지만, 20만 원 정도 남는다. 보수를 하는 달엔 월세보다 더 나간다. 수리는 연쇄적으로 한꺼번에 일어나기도 한다. 수도 고장, 보일러 고장이 잦고, 겨울에는 동파로 매해 연락이 왔다. 인건비 인상으로 부르게 값이다. 구 주택 지방 물건을 보유하고 있어 수도권에 한 채 가진 이들보다 수익은 높지 않다. 시세 차익도 미흡한 수준이고 전세, 월세 인상도 잘 이뤄지지 않고 시대 흐름에 반영되지 않아 오히려 물가는 반대로 흐르는 것 같다. 10년째 월세와 부동산 가격이 변함이 없다. 재건축 아파트 시세가 오르긴 했으나, 수도권 몇 달 사이 억대로 오르는 것보다 느렸지만 더디게 상승했다.

2호의 대출 모두 갚고 난 뒤 오롯이 우리 자산이 되면서 세입자에게 반환에 대한 금전적 부담이 줄어든다. 전세 보유 2채에 대해선 현상 유지만 할 뿐이다. 월세로 전환될 때까지 거주자가 나간다는 말만을 기다린다. 연금저축을 가진 것처럼 여긴다면 마음 편히 가질 수 있다.

예금 통장은 이자를 주지만 부동산은 장기 보유자에게 부동산은 늘 가지고 있는 것으로 오를 땐 재산세를 많이 내고, 내릴 땐 재산세가 떨어진다. 차는 연식이 낮을수록 자동차세가 줄어든다. 전체 부동산 자산은 11억->9.5억이 되었다. 재산세는 1년 사이 90만 원- 81만 원 줄어든 만큼 쓸 수 있는 돈이 생긴다.

적은 월급으로 긴축 관리를 할 수밖에 없는 구조를 만들어 놨다.

처음 외벌이에서 맞벌이를 선택하게 되니 불필요한 지출과 시발되는 비용이 있다. (미안함에 대한 비용) 아이를 맡긴다는 명목에 육아 지원비용이 발생 되었고, 사교육비가 늘었다. 엄마의 생각에 따라 아이들 사교육비용이 늘어나고 줄어들 수 있다.

환경이 바뀌는데 민감한 아이였다면 여러 번 학원을 바꾸진 않는다. 경산에서 학원 동네를 세 군데를 옮겼다. 미술 (옥곡동) 전과목, 영어, 피아노(정평동) 줄넘기, 영어, 독서 (중산동) 바이올린, 영어, 수학 (옥산동) 학원과 센터에 다니며 마치고 동생이랑 걸어올 때가 있다. 다양하게 해봤지만 모두 잘 맞지는 않는다.

아이에게 학원을 제안할 수 있지만 영어 단어를 외우며 공부 습관을 만드는 것은 선생님과 아이가 만들어 가듯 재테크 역시 가족이 함께 소통하며 절약하는 이유를 공유해야 한다. 재정 상태를 알리지 않고 넌 공부만 해라며 과도한 사교육비 지원을 할 때 노후준비 부족한 가정이 많다. 요즘은 스트레스 지수가 높아 암 발생이 높아진다. 새로운 신기술 발전으로 의료비 감당하는 금액이 높다. 보험 준비가 되지 않는 경우 가정 경제에는 심각하게 휘청일 수 있다. 정부에서 일부 도와준다고 하지만 준비되지 않은 가정에선 질병 역시 불청객일 수 있다. 인생에서 뭐든 일찍 준비하는 건 나쁘지 않다. 살면서 책임져야 하는 숙제를 빠르게 끝내놓고 자유를 만끽하며 살아가는 사람들이 많아지면 좋겠다. 재정 상담을 다니며, 은퇴 나이와 자산을 확인하는 건 처음 만난 사람에게 실례되는 질문과 치부를 건드리는 조심스러운 부분이다. 그럼에도 의사에게 진료받는 것처럼 재정 상담은 나에게 문을 두드려 보길 바란다. 지난날의 고뇌가 녹아서 빚 전문가가 되는 과정과 방법을 진심을 담아 설명해 줄 수 있다. 버는 돈이 얼마든 무시하지 말고, 지켜내는 힘을 길러서 돈의 주인으로 거듭나보자. 작고 귀여운 돈도 주인이 믿어줄 때 모이기 시작한다. 함께 몰려다니는 돈을 주의하고 함께 내게 모일 수 있는 돈의 주인이 되자.

나의 사명 찾기

<사명> 한 사람 서평단을 참여 하며 "예수님과 24시간 동행하는 삶을 살고 싶어졌다." p78-79 처음 내게 말을 걸어온 부분은 30대 후반이라는 나와 비슷한 나이였고, 답답함에 잠을 못 자는 내게 왜 잠을 안자고 있는지 묻는다. 새벽 깨어있다. 무엇을 찾고자 배달을 시작했고, 삶을 어떻게 살아야 하는 건지를 찾고 싶었다. 그에 대한 답을 신앙과 책 안에서 찾으려고 노력한다.

19년째 믿음으로 살면서 이기적인 사람에서 가진 것을 나눌 수 있는 사람이 되었다. 성당에 물건을 팔거나, 성전 건립 약정서를 써주는 사람이 되었고, 교회는 부자이지만, 성당은 가난했다. 경북 교구에서 성당 건립을 온다. 같은 집 식구끼리 가진 걸 나누듯 변해간다. 복을 받는다는 믿음으로 더 많이 주심을 생각하고 내보내는 연습을 한다. 부족함이 없게 넘치도록 주시는 분이시다.

가정 재정에서 제일 큰 비중을 차지하는 것이 그들이 누리는 시스템이며, 함정이 된다. 각자 소비 습관에 따라 달라지겠지만, 사교육비, 외식비, 주거비, 해외 여행비, 꾸밈비 등이 될 수 있다. 요즘 내 머리에 온통 차지하는 것은 빚을 갚아야 하는데 라는 마음은 늘 계속되고 있다. 믿음이 생기면 소비하는 것도 달라지기 마련이다.

신혼여행에서 500만 원을 내고 여행을 다녀왔으면서 아이들과 함께 가는 첫 해외여행에 300만 원의 주머니가 열리지 않는다. 남의 나라에서 한 달의 봉급 그 이상을 뿌리고 돌아와 행복함은 남겠지만, 그 돈을 벌기 위해 노력한 한 달이 사라진 느낌일 것 같다. 빚이 있는 상태에서 또 다른 빚을 갖고 싶지 않다. 신혼여행에는 아무런 생각 없이 명품 가방을 두 개 사고 돌아와 카드 빚을 갚기 위해 몇 달을 노예처럼 일해서, 가난의 굴레에서 벗어난다.

예상했던 것보다 빨리 직장을 그만두게 되었다. 지금껏 직장에서 돈을 벌기 위해서 시간을 썼다면, 타인이 부자가 되는데, 글을 쓴다. 재정 상담하려는 사람을 만나며 시간을 쓰며 돈이 따라오면 좋겠다. 가난의 굴레에 벗어나려 애썼던 시간을 고통을 잘 알기에 받은 지혜의 행동을 바꾸려고 노력하지만, 돈 관리가 안 된다는 사람에게 도와주는 지도자 역할을 해준다. 머니 페이스메이커, 머니 주치의, 머니 메신저. 등 다양한 이름으로 불리고 싶다.

혼자서 잘 사는 세상이 아닌, 함께 어울려 살아가는 공동체를 만들고 싶었다. 신앙 안에서 할 수 없는 민감한 대화를 한다. 고지식해서 그런지. 돈 이야기는 쉬쉬한다. 그리고 자기끼리 나름에 재테크를 하면서 혼자서 잘 산다.

가방끈이 긴 사람이라면, 그럴지 모르지만, 가난한 이에게 부자가 되는 건 어려운 일이다. 누구보다 아무것도 없던 내가 부자가 되는 과정은 힘들었다.

4인 가구 먹고 살면서 재테크를 하며 부동산 4채를 보유하며 남들이 한 채도 사기 어렵다는 걸 4채나 가지고 있으며, 실제 내 주머니에 돈을 뺏어 가는 나쁜 투자일 수 있다. 들어오는 돈보다 나가는 것이 많다. 합법적으로 정부에서 세금 명목으로 거둘 수 있는 사업체일 뿐이다.

사람마다 돈에 대한 가치관이 다르겠지만, 자신이 가진 것을 나누는 이들은 많다. 나눌수록 부는 커진다고 한다. 이 책을 보면서 예수 전도단에서 활동하는 분들은 무보수로 후원금만으로 산다는데, 믿음이라는 것이 자의에 의해 기부가 이뤄져야 한다. 그런 의미에선 천주교는 강요보단 권유한다. 지갑을 여는 것은 자유 의지로 주어진 대로 나누면 된다.

`과부의 은전 한 닢`은 자신이 가진 전부를 내어주었다. 우리에게 은전 한 닢이란 월급 모두를 하느님께 드릴 수 있나? 라는 물음에 모두 드린다는 건 죄송하다. 제게 딸린 식구와 내야 하는 세금들이 많아서요. 죄송해요. 라고 하게 된다. 반면, 믿음의 삶을 철저히 살아내는 이들도 있다.

버는 수입이 많을수록 10분의 1의 비중은 엄청나게 커진다. 100만 원의 10분의 1은 10만 원이지만, 일천만 원을 버는 사람은 일백만 원을 내야 한다. 그런데 반대로 90%를 기부하는 김미진 간사님은 참 대단한 것 같다. 아들과 며느리는 부모님의 상속 재산을 모두 교회 건립에 기부했다. <왕의 재정 1.2>를 보고 맘몬의 계략에 휘둘린 삶을 고백하게 된다.

어차피 내가 지고 있는 모든 건 사라지기 마련이다. 하늘에 보물을 쌓으라는 성경 말이 그런 의미를 담고 있는 것이 아닐까? 그래서 내가 낸 결론의 답은 해외여행을 가지 않는 대신, 성전 건립 기금을 내고, 절약 여행을 한다.

돈을 많이 쓴다는 것이 중요한 것이 아니라, 가족이 함께 시간을 내어서 하느님을 느끼는 마음이 중요하다고 생각한다. 늘 우리 안에 계시는 하느님께 어떻게 해야 하는지를 묻는다. 음성이 들린다고 하지만, 느낌이나 깨달음이 생기면 행동으로 바꾼다. 기쁨이 오면 그건 하느님의 뜻이다. 무엇이 맞고 틀린 것인지 알 수는 없지만, 지금껏 믿음을 가지면서 물어물어 더듬더듬 이며 살아왔다. 책을 보면서 성령이 무엇인지를 알게 되고, 재정 관리는 어떻게 해야 하는지를 김미진 간사님의 왕의 재정 책을 통해서 알게 되고 실천하게 된다.

예전에는 되지 않았던 것들이 시간이 지나면서 되는 것들도 있다. 금식은 어려운 것이고 할 수 없다고 생각했다. 다이어트라는 명목으로 먹는 것을 조금씩 바꿔 나가면서 꼭 밥만을 집착하지 않아도 괜찮겠다고 생각했다.

처음엔 나누는 것을 돈만을 생각했지만, 시간을 나누고, 지식을 나누는 것으로 바뀐다. 부자가 될수록 자신이 가진 것을 나누는 것이 인색해진다. 내가 더 많이 좋은 것을 누리려고 생각하기에 바쁘다. 해외여행을 3번 정도 다녀도 호화로운 여행보단 자연을 느끼고 가족이 함께 맛있는 음식을 먹는 게 행복이라 생각한다.

우리보다 못 사는 나라라곤 하지만, 사실 가이드와 운전기사로 매일 일하면 우리가 버는 월급보다 더 많이 번다는 사실을 아는가? 나라가 가난한 것이지 직업은 가난하지 않다. 속지 말자.

많이 버는 자랑은 하지 말자. 버는 것을 잘 관리하는 것이 중요하다. 지금 많은 것을 누리는 것보다, 부자가 되기를 바란다. 돈 걱정하는 사람을 위해 일하고 싶다.

작은 것에 아끼고, 큰 것엔 생각 없이 지르며 살았다. 절약한다고 하면서 한 번씩 충동구매를 하면서 오랜 시간 빚진 돈을 갚느라 허덕였고, 가난의 늪에서 벗어날 수 없었다. 성전 건립서 작성에 우리의 마음이 흔들렸던 건, 처음 경산에서 보좌 신부님으로 계셨던 분. 같은 어려운 시기를 보낸 것과 이미 편안함을 선물로 받은 것에 감사 선물로 봉헌한다. 19년도 배달하면서 새벽에 하느님과 마음으로 대화하는 기도의 시간을 갖는다. 묵주기도를 하고 생각을 정리하기도 하고 때론 눈물로 대화한다. 기도 하다 보면 생각나는 사람이 있고, 그들을 위해서 마음을 드린다. 빚이 무거워서라고 했을 때 처음으로 내 귓가에 맴돌았던 기부가 생각난다.

스피커가 고장 났다는 말에 누가 해줬으면 좋겠는데 라는 말이 떠나지 않았다. 결국 내가 하면이란 생각에 자꾸 갈등하고 있는 나 자신을 만난다. 할지 말지에 대한 고민 하면서 내어놓지 못하는 부분까지도 모두 봉헌한다. 기부한 금액보다 거저 얻어지는 것을 알지만, 선뜻하기 어려운 금액이다.

아깝단 생각이 들 때도 있는 것이 역시 속물이었다. 지나고 나면 더 좋은 것 주시려고 나를 시험한다고 생각한다. 돌이켜 생각해 보면 하느님을 믿는 게 아니라, 보험에 의존하며, 사교육에 맹신하며 아이를 키우고 있었다. 성장 주사를 할 때 언제 끊어야 할지 고민했다. 지역 화폐 중단해서 그만뒀다. 끝없는 것처럼 영원할 것 같았던 것들이 자꾸 바뀌기 마련이다. 평일 미사를 보지 않았던 내가 미사 참여하면서 빚 갚는 노하우가 떠올라 실천에 옮기게 되었다. 빚 갚는 기쁨에 더욱 신이 나서 하느님을 만나러 다녔다. 그렇게 내 신앙은 성장하며 빚쟁이에 벗어나게 해주셨다. 마치 요셉이 하느님의 일꾼으로 높이 올려지듯. 기근을 준비하는 지혜가 우리에게 필요하다.

아직 빚이 있는 상태에 빚을 갚는 행동을 멈추고 또 다른 빚을 지기 위해 해외여행을 간다는 것이 수용되지 않았다. 남편은 다 늙어서 가느냐며 나중에 후회하더라도 지금이 아니라, 더 늙기 전에 좋아하는 일을 하기 위해서 빚을 갚으려고 한다.

오늘을 위해서가 아닌, 내일을 희망하며 사는 것은 나쁘지 않다.

내게 사명이란, 깊이 생각해 봐도 죽은 자를 살리신 하느님의 따뜻한 사랑에 받은 그 사랑을 나누는 것, 거저 받았으니 거저 주어라는 말처럼 빚 갚는 비법을 돈 주고 배운 것이 아니라, 함께 돕는 사람이 되고자 한다. <법대로 사랑하라> 드라마처럼 변호사가 소송을 돕듯, 가정 경제를 돕는 변호사 역할을 자청하는 사람이 되고 싶다. 무료로 커피를 제공할 수는 있을까? 엄마들의 쉼터 놀이터가 되어서 가까운 곳을 쉬는 공간 함께 성장하는 곳이면 좋겠단 생각을 한다. 그렇다면 꼭 상가야 하는지에 대한 물음에 답한다.

싼 빌라를 구해서 나만의 공간을 만들어 집필할 수 있는 공간이면 좋겠다는 생각과 함께 지역 아동 센터처럼 누군가 도움이 필요한 사람에게 닿기를 바란다. 마음만 품고 행동하지 않는 것보다 일단 꿈을 계속 그려 가면서 하나씩 이뤄 나갈 생각이다.

(욥 8:7) `네 시작은 미약하였으나 네 나중은 심히 창대 하리라는 믿음으로 타인을 돕는 것이 희망을 노래하는 것이 되기를 꿈꾼다. 20대의 길 잃었던 때처럼 40대에 새로운 길을 어떻게 가야 할지 직장을 만들어 갈 수 있을지. 물음표 속에서 매일 묻고 답하고 만들기를 반복하며, 남편을 만나서 가정을 꾸리며 내 집 마련을 달성했던 방식처럼. 하나씩 성취해 가지 않을까. 가보기 전까지는 묻고 답하고 포기하고 싶은 마음이 들지만, 내 사명은 타인의 재정을 봐주는 것과 즐겁게 즐기면서 할 수 있는 꿈을 알게 되었다는 것만으로도 반은 성공한 게 아닐까. 앞으로 만드는 건, 하나씩 이뤄내며 뚝딱 만들어져 있지 않을까. 무언가를 만드는데 사람이 길이 되고 용기와 응원의 말을 전달해 준다. 책과 좋은 사람은 이어질 것이다. 이미 하나둘 모여들고 있다.

한 사람의 아이디어가 또 다른 사람을 연결하듯, 만들어지는 것이 아닐까. 사명에 따랐을 뿐인데, 길을 찾게 되었다. 당신에겐 사명이 있나요?

※ 출처: 사명 저자: 장산하. 출판사 한사람 22.09.05

나는 행동하는 자다.

12년도에 첫째 아이가 2.46kg에 태어났다. 탄생 11주년이 된다. 세상에 태어나 어려운 고비들이 많았고, 그 순간들이 지나서 초등학교 6학년을 다니고 있다. 아이들은 내게 묻는다. 정수기는 몇 살이야? 세탁기는? 냉장고는? 이렇게 물건들의 나이를 물어본다.

재테크는 어떤 것인지 생각을 할 기회가 많다. 돈을 어떻게 써야 하는지 무엇을 먹고 어떤 음식을 먹을 것인지에 관한 고민과 앞으로의 삶에 관한 고민. 그런 고민이 모이고 모여서 새로운 시작을 하게 되고 유지하거나 멈추기도 한다.

<지금은 맞고 그때는 틀리다.> 영화처럼 우리의 생각은 계속 바뀔 수 있고 변화할 수 있다. 틀린 선택 앞에서 어쩔 줄 몰라 할 때도 있다. 투자한 주식이나 부동산이 손실을 맞았을 때 어떻게 해야 하는지 고민에 따른 선택과 집중. 보험 가입하다가도 가던 길을 멈추고 아예 하지 않은 것 같은 리셋이 필요하다.

내 삶에 오랫동안 함께했던 보험을 포기 선언하기까지 오랜 고민의 시간을 가졌지만 결국 중단을 선언한 것은 타인에게 내 인생을 걸고 싶지 않았다. 직장에 매여 있지만 보험사를 위해 살았다는 것을 인정하고 어떻게 하는 게 맞을지 분석 해봤다. 그랬더니 우리는 너무 많이 분산해서 여기저기에 수수료를 납부했다.

뭉치면 단단한 돈이 되지만. 흩어지면 푼돈이라고 여긴다. 마트에서 장바구니에 물건을 넣다 보면 어느샌가 1만 원 훌쩍 넘는다. 얼마 안 하는데 뭐하며 함정에 빠진다. 싸다는 느낌으로 물건을 소비하면 불필요한 물건을 담아온다. 한 번도 쓰지 않을 물건을 사느라 귀중한 돈을 땅에 버린 셈이다.

힘들게 번 돈이 타인에게 맡겨져 오랜 기간 공짜로 사용하며 적은 이자를 줄 수 있도록 설정했다면? 노후 준비란 착각에 빠져 소비 늪에 빠질 가능성이 컸다. 담보 대출금을 갚기 위해 흩어진 돈을 한곳으로 모으니 꽤 많은 돈이 생각 없이 흩어졌다. 하나로 뭉치니 그 힘은 강했다. 술에 취하듯. 소비에 빠진 것처럼 돈을 쓰던 방식에서 모으는 방식으로 바꾸니 같은 쓰는 원리지만 빚을 갚으니 확정된 이자를 줄여갈 수 있었다.

나의 한계가 어디인지 스스로 시험 해보고 싶었다. 즐기며 하는 빚 갚기는 흔들리지 않고 반복하게 했다. 게임 하듯 빚을 갚고 매일 쇼핑하듯 들어오는 돈이 있으면 **소비했다 치고 빚 갚자.** 라는 마음으로 바뀌게 되었다. 그랬더니 놀라웠다. 앞의 숫자가 서서히 바뀌기 시작했고 다이어트처럼 음식을 줄이고 소비를 줄인다. 소비가 줄어든 자리에 더 많은 빚이 줄어 다이어트가 된다.

자신의 빚을 향해 멋지게 갚아 가자. 타인에게 집중하지 말고 자신 빚에 집중하자. 누구나 부자가 되기를 꿈꾼다. **행동하는 자와 행동을 막아서는 자**는 **자기 자신이었다.** 가난하다면 우선 상황 판단을 해서 어떻게 이 상황을 극복해 나갈 수 있는지 파악하며 변화를 꿈꿔야 한다. 빚 갚기 당장 시작하라고, 대출 상환 기간을 설정한다. 언제까지 은행에 머무를 거냐고 자신에게 물어보자. 코로나 시대가 아니라면 마지막이 존재한다는 것을 까맣게 잊고 지나쳤을 것이다. 코로나 동선 겹침으로 격리 휴식을 취해봤고, 첫째 생일날 생활이 멈췄다. 아이는 나를 원망했다. 엄마가 코로나 걸려서 학교에 가지 못했고 그날은 자신이 가장 기다린 체험 학습 날이다. 살면서 쉼 없이 달리다, 코로나에는 잠시 쉼을 준다.

그렇게 11살 생일에 코로나 확진으로 함께 축하 해주는 대신 혼자만의 시간을 보내야 했다. 조용한 집에서 드라마를 보는 것도 좋았고 바쁜 일상에서 벗어날 수 있는 행복한 시간이다. 코로나가 우리에게 모든 걸 빼앗아 간 것은 아니다. 인생을 다시 생각하는 깊은 사색의 시간을 선물로 받았다. 전업으로 놀고 있을 때 격리했다면 감흥이 덜했을 것이다. 달리는 기차에 갑자기 섰는데, 설 수 있음을 경고해 주고 있었다. 누구에게나 다가올 불행에 대비하라는 뜻으로, 넌 언제까지 그곳에 머물면서 타인이 만들어 놓은 판에서 살래, 너만이 할 수 있는 일을 시작해. 넌 할 수 있어 말을 건네는 것만 같았다. 하지만, 무엇을 어떻게 해야 할지 막막했고, 1년이 지나서 조금씩 상상하기 시작했다. 방법이 떠오르지 않을 때 지금 할 수 있는 걸 한다.

내가 무엇을 잘하는지 알지 못했다. 하고 싶은 것에 집중하기 시작했다. 찝찝하게 생각하는 것들을 먼저 제거하기 시작했다. 중요하다고 생각하는 것 외에 후 순위 것들을 하나씩 제거한 뒤 한곳에 돈을 모으겠단 열망으로 방법을 알 순 없었지만, 주도권을 먼저 확보하겠다고 생각했다.

그렇게 주인이 아닌, 조연으로써 살았던 지난 세월의 광야 생활을 청산하는 나그네처럼. 이제껏 걸어온 길들을 조금씩 걷어내기로 했다. 보험을 두려움에 잠식시킨 절대자로 여겼다. 왜 그렇게 많은 주도권을 보험사에 맡긴 걸까.

내 집에 돈을 쌓듯. 빚을 먼저 갚기로 했다. 텅 빈 곳간에 곡식을 채우듯 높은 산과 같은 빚을 조금씩 채워가기로 했다. 불가능에 가까웠던 숫자가 앞자리와 뒷자리가 변해갔다. 새로운 돈들이 들어오고 나가고 쉴 새 없이 바쁘게 나오고 들어오곤 한다. 늘 노예처럼 주인 의식 없는 돈은 여기저기 분주하게 나가기 바빴고, 내게 머물기보단 나가는 것을 선택해야만 했다.

마치 말실수를 하다 보니, 마음의 문을 닫고 색안경을 갖고 따뜻한 시선이 아닌, 차가운 시선들을 보내는 사람들처럼 혼자 덩그러니 남겨진 외톨이 신세인 과거의 나와 같았다.

인생은 혼자서 살아가는 거야. 네가 먼저 손을 내밀면 돼. 관계를 억지로 이으려는 마음보다 진심으로 마음 다해 다가가. 너를 소중히 아끼고 사랑해야만 타인도 널 소중하게 여길 수 있어. 널 존중하지 않는 태도들이 타인에게도 투영되어 만든 건 아닐까. 우린 모두 귀한 존재야.

신은 너희를 벌하지 않아. 늘 더 좋은 것 주고 누리라고 하지. 넌 모든 걸 가질만한 자격이 있어. 세상에 가장 귀한 자녀란 사실을 잊지 마. 네가 세상에 태어난 목적이 있어. 넌 타인을 도우며 살아갈 능력이 네 안에 있다는 사실을 알아 두려워 마. 널 도와줄게. 우리 함께 해보자. 이렇게 내 안에서 속삭이는 마음의 소리가 들린다. 타인을 보느라, 자신의 주도성을 잃고 매몰 되어간다.

책을 읽다 보면, 참 비슷한 사람끼리 끌리는 기적을 경험한다. 내게 딱 필요한 사람을 옆에 두듯 책이 내게로 와 말을 건넨다. 넌 너의 길을 걸어도 돼. 정말 하고 싶은 걸 하렴. 주변 시선 따윈 신경 쓰지 말고 네가 가장 좋아하는 일을 하면서 살아가도 된다고 말이다.

남들이 만들어 놓은 판에서 살았다. 휘둘리며 끌려 다니기 바빴다.

돈에 흔들렸고, 가난에서 벗어날 수 없을 것만 같았다. 매달 월급을 받고 있지만, 돈 걱정에서 벗어날 수 없었다. 텅 빈 통장을 보며 돈 없다는 생각은 가난함으로 이어지고, 입버릇처럼 `돈 없어.` 버릇처럼 말했다. 그렇게 돈이 없는 상태가 지속되었다.

돈이 머물 수 없는 상태를 자처한 것이다. 돈이 없는 걸 좋아하는 사람이 누가 있을까. 그런데 그 많던 돈은 어디로 사라졌을까. 돈의 행방을 아는 사람은 자기 자신만이 알 수 있는데도 타인에게 묻느라 돈을 소비하고 있는 건 아닐까?

부자가 되는 방법을 찾기 위해 책을 소비하며 읽지 않을 책을 쌓아 놓기도 하고 도서관에서 빌린 책을 더욱 열심히 읽기도 한다. 다양한 생각을 저렴한 가격의 책값으로 지혜를 얻을 수 있다면 책을 가까이해야 하지만, 달콤한 사탕처럼 영상에 끌리고 손이 간다. 드라마를 보면서 부자들의 삶을 들여다본다. 복잡하게 얽혀있고 설키다. 우리의 삶이라고 다르지 않다. 가진 크기가 다를 뿐.

아무것도 하지 않고 부자가 되겠다는 생각과 헛된 꿈을 꾼다고 시간 낭비하지 말자. 남들이 만들어 놓은 길을 간다면 편안함은 있겠지만, 미래가 불안해진다. 국민연금. 개인연금. 퇴직 연금만을 믿고 기다리기엔 불안 요소가 크다. 늘 똑같은 패턴으로 산다면 재미없다. 가슴 떨리는 일을 하나씩 하고 싶다. 그렇게 마음 맞는 사람을 모으려고 한다.

나와 생각이 비슷하고 끌리는 이들을 만날 수 있는 장소를 만들기 위해서 책을 쓰기로 했다. 책을 보면 마음이 확 가는 것을 느낄 수 있다. 낯선 사람의 인생이지만 우리의 삶처럼 그렇게 마음과 마음이 만난다.

그들의 이야기가 내 마음의 위로와 격려를 얻으며 일어설 힘을 가진다. 이미 그 시간을 지나온 자와 앞으로 걸어가는 이들이 서로 마주하듯이 먼저 겪어본 이들은 별것 아닌 것으로 여겨질 수도 있지만, 당시에는 죽을 만큼 괴롭고 고통스러운 시간을 온 힘을 다해 치열하게 고민했던 시간이 있었기에 앞으로 나올 힘을 갖게 되었다.

남들이 만들어 놓은 행동을 마주하며, 바라보지만 않고 스스로 행동을 만들고, 행동하는 자에서 행동을 돕는 자로 바뀌어 간다. 사람은 늘 바뀌기 마련이고 행동에 답을 찾아보자.

구덩이 덫에서 나오기

성경 속 요셉의 형들이 질투에 눈이 멀어 은전 한 닢으로 팔아넘긴 것처럼 형제들을 원망하며 인생을 살아갈 수도 있었지만, 용서하며 앞으로 나아갔다. 타인이 만들어 놓은 구덩이에 빠져 오랜 세월 방황했다. 탓을 하며 살았고 부자는 아무나 되냐고 포기했다.

우리는 헛된 것에 고립된 채 허송세월 보내며 부자가 되는 건 불가능하다고 여겼다. 부자가 하늘나라에 들어가는 건 낙타가 바늘귀에 빠져나가는 것보다 어렵다고 한다. 반드시 부자가 되어야만 하는 이유를 내 안에서 찾기로 했다.

가진 것을 모두 나눠주는 과부처럼 살고 싶진 않았다. 나누고 싶은데 고민하는 상황들이 화가 났다. 머리로 재고 저울질하는 것이 화난다. 누구는 월 천만 원 번다고 하는데 아무 생각하지 않고 돈 쓴다. 가지면 가질수록 내는 세금의 의무와 책임감은 더욱 커진다. 지키는 것이 많을수록 포기할 수 없는 것이 생기기 마련이다.

사람들을 관찰하면 부자가 베푸는 것보다 가진 것이 없는 이들이 반복적으로 나눔이 습관이 되는 것을 볼 수 있었다. 자신의 앞에 놓인 문제는 외면하고 자신과 가족 먼저 챙기지 않고 우리에게 먹을 것과 물건들을 소비해서 제공한다. 늘 이렇게 하지 않아도 되는데, 누군가 지시한 것처럼 지속적인 숙제처럼 반복한다.

오히려 더 가난한 이들에게 줘야 하는데 잘못 베푼다. 가진 이에게는 더욱 보태주듯 채움을 받는다. 나누는데, 더 많이 나누지 못하는 죄책감에 마음이 아려온다. 채워져 더욱 그들에게 위로받으며 부자가 되어야만 하는 이유를 생각하게 만든다. 가진 건 나누기 위해서 강화되어야 한다. 무엇으로 삶을 채울 것인지 찾아 떠나는 인생의 여정에서 만나는 사람들에게 따뜻한 정을 느끼고 보살핌을 받는다. 내가 그들에게 해줄 수 있는 건 뒤에서 기도할 뿐이다.

마흔 시작 전에 책을 쓴다고 했는데, 아무것도 해놓은 게 없는 것 같은 초조함이 생긴다. 남들은 턱 하니 결과물을 잘 만드는 것만 같고, 자꾸 미루는 것처럼 느껴진다. 자신이 잘하는 것을 하듯 빚을 갚았다. 소비를 어떻게 해야 하는지 수많은 선택 앞에서 무엇을 먹고 어디서 구매하는지 따라 써야 하는 금액이 달라진다. 외식하러 가면 조금 더 많이 먹게 된다. 남편은 살쪘다고 핀잔은 주면서, 더 먹자고 한다. 언행일치가 이뤄지지 않을 때가 많다. 적당히 그만 먹는 걸 선택해야 살이 더 이상 불어나지 않듯 소비에 기준이 있어야 한다.

지금껏 빚을 모두 갚아낸 행동력은 혼자서 만들어 낸 결과물이었다. 남편이 함께 고민해 주길 원하지만, 항상 네가 해. 무신경했다. 대출금 통장은 나를 대변 해주듯 성적표보다 감동적이다. 들여다보고 다시 봐도 기적에 가깝다. 어떻게 단기간에 성적을 올릴 수 있었냐고 질문에 답을 하듯 특별한 비법은 없어요. 단순하게 반복하며 빚을 갚았을 뿐이에요.

우선 자신에게 쳐놓은 덫을 먼저 점검하며 걷어내는 작업을 하셔야 해요. 때론 마음이 아플 수도 있어요. 살이 찢어지는 고통을 느끼듯 산모가 아이를 출산하는 것과 비슷해요. 남편들은 자신의 군 생활이 마치 훈장처럼 여기는 것과 같은 이치로 아내는 빚 갚은 습관, 아이들 경제력을 어떻게 키워 나갈 수 있을 것인지에 관한 말해야 해요.

학업 성적보다 더 중요할 수 있다는 사실을 망각한 채 우리는 타인의 부품으로만 살라고 강요하죠. 부모님 세대들이 그래왔듯. 우리도 학습된 채로 지금껏 경험 그대로 강요할 뿐이죠. 자신의 길을 걸어도 된다고 말하는 분보다 행동을 막는 부정의 말을 더 많이 전달하죠. 그렇게 하고 싶진 않지만, 자녀나 부모는 유튜브와 넷플릭스에 잠식되어 생산자가 아닌 소비자로 포지션에서 머문다. 그들을 부자로 만든다고, 우린 그렇게 누군가를 추종자가 된다. 세상엔 공짜란 없다고 봐요.

월급 받는 좋은 직장을 왜 나오느냐고 하지만, 공장처럼 약을 짓는 이 생활을 언제까지 계속할 순 없잖아요. 팔목이 시큰거려 파스를 붙여도 아무도 알아채지 않는다. 가난은 그렇게 혼자서 벗어나려 발버둥 치지만 다람쥐 쳇바퀴에서 빠져나올 대안이 없고, 비슷한 직업을 찾으려고 한다는 걸 알아요? 다음 직업은 남이 만든 것이 아닌, 나만이 할 수 있는 것을 만들고 싶어요.

잘할 수 있는 걸 하려고요. 자기 객관화. 자기애. 자존감. 용기. 끈기. 인내. 수용 등은 타인에게서 만들어지는 것이 아니에요. 하루아침에 만들어지는 것도 아니죠. 오랜 시간에 걸쳐 만들어진 나만의 강점인걸요. 내 안에 이렇게 좋은 도구가 있었단 걸 깨닫지 못했을 뿐이죠.

<굿모닝 해빗> 책을 들었다. 참 멋진 분을 알게 되어 기뻤다.

아침에 일어나 거울에 비친 나에게 하이파이브를 외친다. 나에게 칭찬하는 것, 긍정 에너지를 부어 주는 습관 가져야겠다. 라이프 코치가 되어 타인을 돕고 싶다는 마음이 든다. 그 일이라면 열정적으로 일할 수 있지 않을까? 재정적 고민을 해결 시켜줄 동기부여 전문가. 빚 갚는 건 하루아침에 끝나는 습관이 아니라, 지속해야만 하는 매일 습관처럼. 운동하고 책을 읽는 것. 매일 식사하듯 의식적으로 빚을 반드시 갚고야 말겠다는 강한 열망을 지녀야 한다.

어정쩡한 생각은 행동을 막게 된다. 자동차를 사야 해라는 마음은 빠르게 행동을 만드는 것과 같아. 자동차만 눈에 들어오지. 습관은 그렇게 쌓여 빚 갚기 습관을 일상화해 보는 건 어때? 밥 먹는 것보다. 빚 갚는 게 좋고 책 읽는 게 좋아. 그렇다면 절약해야만 하는 강한 열망을 만들며 빠르게 빚을 갚을 수 있어.

빚을 9개월 만에 갚았지만, 연봉이 나보다 더 많이 받는 이들조차 불가능하다고 말한다. 모든 걸 누리며 부자 될 생각은 버리자. 책을 내야 한다는 강한 열망이 글 쓰는 몰입감을 만들듯. 새 아파트 가고야 말겠단 강한 열망이 방법을 찾게 되었고, 빚을 갚기 위해 우유배달 했다. 남들보다 월급이 적다고 문제가 되진 않았다. 남들보다 더욱 치열하게 움직이면 돼. 아무도 인정 해주지 않아도 괜찮아. 가족에게 상처를 주며 히스테리 부릴 때도 있었다. 자야 한다는 강박감에 이끌려 잠을 한숨도 못 자고 일어난 적도 있고, 알람을 놓쳐서 6시에 배달을 시작한 적도 있다. 삶에 대한 고민이 몰려올 땐 자는 시간이 아까웠다. 이렇듯 누군가 짠하며 만든 게 아니라, 힘겹게 만들어 놓은 간접 경험이 우리 삶에 중요하게 작용하며, 따라 하고 싶은 마음이 생긴다.

주말에 시댁을 갔다 왔다. 1월에는 둘째 생일이라서 유니클로에서 옷과 휠라 운동화 산다고 30만 원 쓰셨다. 옷을 사더라도 지난 상품 사는 나와 모습이 너무 다르다. 여름옷이 집에 얼마나 있는지 모른 채 옷을 사주신다. 결국 색상만 다르게 옷을 구매했다.

연금(노령, 국민) 얼마나 받으신다고 손녀딸들에게 통 큰 모습을 보면 받는 것이 불편해진다. 옷을 사주는 것도 좋지만, 많은 옷을 가지고 산다. 세탁기와 건조기가 있어서 마음만 먹으면 하루 만에 빨래가 완료되는 세상에서 산다.

절약을 말하지만, 남편과 시어머님 소비하는 모습을 보며 나 혼자만 절약하자고 외친다. 왜 절약해야만 하는지 어른이 알려줘야 한다. 아이들에게 5만 원, 10만 원 주는 부모님들 모습에 당혹스러울 때가 많다. 어릴 땐 5천 원, 1만 원 큰돈이었는데, 이젠 1만 원 주기가 부끄럽다는 시대. 아이들은 바깥에 나와서 놀면서 음료수를 손에 들고 다니는 모습을 종종 본다. 마라탕 식당에 여학생들이 와서 먹는 풍경이 낯설지 않다. 초등학생이 아이폰 들고 다니는 모습을 보며, 과연 저 집은 부자일까. 추측하게 된다. 일찍 좋은 것 사주면 버릇이 되고 가난으로 빠지고 사회가 병 들어간다. 학원에서 칭찬 판을 모으면 선물을 받는다. 물건이 넘쳐나는 세상에 부족함 없이 자라는데, 덩달아 용돈을 줘야 할까. 묻게 된다. 과유불급. 요즘은 물건이 넘치는 세상에서 산다. 부족함을 모르고, 소중한 자녀에게 물질의 과잉이 만들어 놓은 늪에 질병으로 이어진다. 물건의 귀함을 알고, 건강한 인성을 가진 아이로 키우자.

누군가에게 어떻게 해야 하는지 묻기보단 자신이 잘하는 일을 스스로 묻고 정답을 찾아가는 과정을 거쳐야 한다.

<어쩌다 마주친 그대> 드라마에서 순애가 써놓은 글을 훔쳐서 작가 데뷔한 고미숙이란 친구가 나온다. 자신의 출판물을 다시 찾

기 어렵지만, 친구 윤영이의 도움으로 다시 재출판할 수 있었다. 시간 여행을 온 순애의 딸 윤영의 도움으로 가족의 인생이 모두 바뀌었듯. 책은 우리 삶을 새 사람으로 바뀌는데, 부족함이 없다. 김미진 작가님의 <왕의 재정> 책을 읽고 맘몬이 만들어 놓은 덫에서 벗어나려 애썼다. 혼자서 빚 갚는 건 어려웠지만 하느님과 소통하면서 빚을 갚기 시작하자 어느새가 눈 녹듯 사라졌다.

무언가 해보고 싶다고 생각하면서 에너지가 분산된다. 자산이 없는 분도 이렇게 초조함과 답답함을 느낄까? 아예 없는 경우는 무감각하다. 마치 동상 걸려 얼어붙은 것처럼, 가질수록 초조함과 답답함. 돈에 대한 고민과 걱정이 든다면 어떻게든 행동으로 옮겨보자. 빚이 무겁다고 생각하며 변화하려는 노력하는 자만이 원하는 것을 이룰 수 있다.

남들과 똑같은 방식으로 부자가 될 수 없다면 나만의 방법을 찾아보는 건 어떨까. 내가 찾은 방법은 돈을 더 많이 벌거나 새로운 일을 시작하는 것도 좋지만, 지금 있는 자리에서 하나씩 더 늘려보고 방향을 조금씩 바꿔 본다. 늘 가던 패턴이 아닌 조금 다른 패턴으로 사람들과 만나고 일상의 경험을 돈과 연결해 글을 쓴다. 남의 작품을 훔쳐서 데뷔했던 미숙에서 순애가 한 말이 귓가에 맴돈다. 어떻게 그래? 어떻게? 사람들은 자신의 이익 앞에선 미숙처럼 타인을 짓밟고서라도 올라가려고 한다.

살인을 하는 사람은 그 가족을 지옥으로 떨어뜨린다. 남들이 겪지 않아도 되는 그러한 시간이 우리에게도 있었다. 과거에 자신을 비난과 자책하며 살인자와 다름없는 시간을 보내는 분이 많다. 하지만, 벗어나려고 노력했듯. 누군가에게 빛과 같은 존재가 되고 싶다는 강한 열망이 모여 좋은 사람이 된다. 30대가 짊어진 빚의 무게와 자녀 양육으로 지쳐갈 때 가난을 벗어나고자 안간힘을 썼다. 그 노력이 모여 빚이 줄어든 40대를 맞이했다. 행동하지 않았다면 변화의 기적을 맛보지 못했다. 빚 갚기가 최고의 투자란 사실을 믿고 먼저 빚을 갚아보자. 남의 돈으로 먹을 땐 비싼 음식을 먹는다. 내 돈으로 먹을 땐 아까운 마음이 드는 건 누구든 같다. 남은 젤리가 적을 땐 아껴먹는 어린아이와 같다.

카드를 쓸 땐 죄의식이 무뎌진다. 정해진 예산 외에 지역 화폐나 체크카드, 현금을 쓰자. 현금은 돈을 내보내기 싫어진다. 돈이 내게서 빠져나가지 않고 모일 수 있는 환경을 만들어 주면 어떨까. 작은 돈도 귀하게 여기지 않는데 큰돈이라고 관리가 잘 될까? 돈의 그릇을 만들어 가꾸고 더 많은 돈을 모을 환경을 만들자.

※ 참고: 왕의 재정 1, 2 저자:김미진, 출판사 규장 2014.06
굿모닝 해빗 저자: 멜 로빈스 출판사 샘앤파커스 2022.05

부자 됨을 허락받아

외로움은 나를 가두고 아무것도 못 하게 두지 않는다. 과거에는 혼자 있음을 견디기 어려워 사람을 찾았다면, 집에만 머무는 때에도 책을 읽었고 혼자 있는 시간을 즐긴다. 집에 있으면 해야 할 일이 많지만. 중요한 일만 했다. 지금껏 미뤄왔던 한 가지씩 해보는 건 어떨까? 작은 것 하나씩 실천하다 미처 보이지 않았던 것이 눈에 들어온다.

자아 존중감이 쌓여서 뭐든 시도할 용기를 갖게 된다. 난 못해가 아닌, `넌 할 수 있다 라는 자신만이 할 수 있는 일에 도전해 보는 건 어떨까. 지금 있는 자리에서 변화할 수 있는 한 가지를 시작해 보자.

인생이란 여러 갈래의 길이 있다. 월급이 적다면 작게 하나씩 실천하면 우리 가정처럼 단번에 자산을 일으키지 못하지만, 한 단계씩 이뤄낼 수 있다. 아파트 앞 작은 정원과 테라스. 개인 저택을 연상케 한다. 이곳에서 글을 쓰고 책을 읽었다. 시원한 바람과 공기. 새소리. 아파트 공사 현장 소리가 들린다. 지나가는 주민들 틈에 섞이며 그렇게 나만의 길을 찾아가는 중이다. 어디 갈지 정하듯 책에서 내게 어울리는 직업 만드는데 정보를 얻으려 독서한다. 새로운 시각을 얻는 여행을 떠난다.

나를 찾아 떠나는 새벽 기상 그리고 또 실패로 이어지기도 하지만, 몸의 컨디션을 위해 다음으로 미루기도 하고, 혼자서 어려울 땐 힐링찬 부방장과 6시 화상 독서한다. 계획했다가 이뤘다는 작은 성취감이 쌓여 자기애를 만든다. 아무것도 할 수 없다고 생각하던 때도 있었지만. 작게 쪼개서 하나씩 달성할 목표를 가져보자.

길에 떨어진 10원을 줍지 않는 사람이 부자가 될 수 있을까? 젊은 청년들은 허리 굽히기 싫어서 땅에 떨어진 동전을 줍지 않는다. 걷기 싫어서 습관처럼 타는 택시비와 전동 킥보드, 전기 자전거 등이 모여 돈을 모을 수 없도록 막고 있다는 사실을 외면하며 산다.

비싸다고 좋은 건 아닌데, 별 다방, 고가의 점심값 등이 저축을 막는다면, 적은 비용을 선택하고 저축하자.

절약하지 않고 0에서 일천만 원을 만들 수 없다. 5억, 10억대의 부동산을 한방에 살 수 없다면 여러 차례 반복하고 쪼개서 달성하면 된다. 시간이 얼마 걸리든 해낼 수 있다는 마음으로 해보자. 처음부터 완벽한 건 없다. 실행하고 실수를 거쳐서 만들어진다. 무엇을 만들 건지에 따른 결과물이 달라진다. 누구나 돈을 갖고 싶고 부자가 되길 원한다. 우리는 부와 반대되는 행동으로 가난한 삶에 빠지는 것일까. 그건 행동력에 있다.

화요일 산부인과 방문 후 13일부터 시작된 월경은 끝날 줄 모르고 계속되었고, 급기야 점차 줄어야 하는 상황에 더 많아져 황당했다. 자연스레 멈춤은 언제일지 알 수 없었다. 지금까지 나오는 출혈이 엄청 많다. 빈혈이 없는 게 신기하다. 건강해 보이지만, 자궁 상태에선 민감함을 표현했고, 마음 상태와 비슷했다.

몸은 신호를 보내는데 괜찮다고 자가 진단을 내리고 병원 가기를 미룬다. 큰 병을 키우는지도 모른다. 몸의 신호에 즉각 알아채는 민감함이 도움이 된다. 온 마음을 간절히 상상하며 바라고 하느님께 빌고 온 우주의 기온을 기다리고 하늘도 감동하지 않을까. 자신이 제일 잘하는 것에서 정답을 찾자. 난 빚 갚는 걸 제일 잘해요. 만나는 사람마다 빚 갚으세요. 라고 고민과 선택의 시간이 모여 하나씩 이뤄진다. 하루아침에 만들어지지 않는다. 한 번에 하나씩. 조금씩 수정 후 보완을 거쳐 만들어진다. 아프고 나니, 조금씩 보이는 것이 있다. 엄마는 아파도 자식 먹을 것이 눈에 들어와 소고기국, 삼계탕으로 닭죽 조리할 것을 생각한다. 서울에 갈 때도 모두 좋은 것 누리는 대신 서울 ktx(빠른 것) - 대구 무궁화(느린 것) 선택한다. 점심은 혼자 먹는 것도 좋지만 아이들 점심 준비하며 주먹밥 갖고 가면서 최소한의 비용만을 지출하며 절약한 돈은 가족과 함께 쓴다. 돈을 쓰기 전 미리 생각하고 준비한다.

좋은 것, 새것을 선호하던 생각이 조금씩 변한다. 돈에 나를 맞추다가 1, 2번 입었거나 (새 제품) 싼값에 파는 물건에 나를 맞추는 재미 쏠쏠하다. 가격 절감으로 생활비 절약한 후 빚 갚을 수 있는 구간이 더욱 늘어난다.

<초자연적 재정> 마지막까지 읽으며 깨우친 건 모두 같은 책을 읽더라도 실행하는 자와 그렇지 않은 자 차이에서 온다. 깨달은 핵심은 마태오 복음 13장 11절에 있다. 너희에게는 / **`저 사람에게는 허락되었지만`/ 허락되지 않았다.** 는 차이가 성공과 부를 가져오는 것이 아닐까. 믿음이 같다고 할 수 없다. 눈과 귀가 모두 닫혀있어 보아도 볼 수 없는 시각. 청각 장애 가진 자와 비슷하게 살아가는 이들이 많다(p264 참조).

당신에게는 허락되었을까? 스스로 답을 찾아보면 좋겠다. 빛에 정면 돌파하는 은혜가 부어졌다. 볼 수 있고 깨닫게 되어서 감사하다. 타인과 조금 다르게 살아간다. 사람과 만나고 연결된다. 원하는 것은 타인에게서 온다. 당근마켓을 즐기는 이유가 아닐까. 그들에게 필요하지 않은 게 내게 와서 좋은 깨달음을 얻는 씨앗이 되기도 한다.

오늘도 기쁘게 살아가는 은혜 주셔서 감사하다. 뭐든 시작은 하지만 지속하는 힘이 없다. 작은 돈도 아끼고 돈들이 모여 빚 갚는다. 쏠쏠한 기쁨. 앱테크로 작고 귀여운 돈들이 모여 빚 갚고 간식비가 된다. 잃는 것이 있다면 얻는 것이 있다. 좋은 에너지가 오려고 나쁜 에너지가 지나가야 하듯 고통 뒤에 오는 행복을 맞이할 준비를 해보자. 세트로 오는 고통과 행복을 마주할 용기를 가진 이에게 부가 선물처럼 온다. 믿고 따라 걸어보길 바란다.

※ 출처: 초자연적 재정 저자: 케빈 제다이 (주) 순전한 나드 2020.08.14

어두운 밤 새벽에도 함께한다.

새벽에 눈을 뜨게 된다. 깨어있게 하는 기적. 모든 순간에도 하느님이 나와 함께 하신다는 사실을 잊고 살 때가 많다. 유치원 선생님께서 아이가 혼자서 폐 끼치지 않으려 하는 모습이 안쓰러워 했다. 옷이 다 버려서 유치원 옷을 입고 왔던 첫째와 둘째. 아침에 마른 김과 밥을 먹다 채하고 여름철 음식이 상했는지 모르고 먹었다 탈 나곤 했다. 그렇게 철부지 엄마를 만나서 고생했다. 그런 시절이 지나고 좋은 때가 우리에게 오고 있다.

한순간에 뚝딱 만들어지는 것이 없다. 여러 시행착오 끝에 무언가 만들어지는 것이 인생이거늘. 웃다가 울다가 비 오거나 눈이 오기도 하고 폭우를 만나기도 하고 그렇다. <킹더랜드> 드라마에서 누구나 에게 비는 내린다. 그 비의 양이 각자 조금씩 차이가 날 뿐이다. (로운 대사가 마음에 콕 박힌다.)

비가 온 뒤에 날씨는 밝아진다. 비가 오는 날 비를 맞고 걸었다. 폭우를 뚫고 병원으로 와서 바지만 갈아입었다. 얇은 티셔츠는 금방 바람에 말랐다. 언제 비를 맞았는지 이내 바람과 함께 사라지듯. 우리 마음속에 폭풍우가 지속될 뿐이다. 유난히 하늘의 구름이 자주 눈에 들어온다. 하늘에 기운이 내게 말을 걸어주는 느낌이다. 모든 건 다 지나간다고 함께 하신다는 말을 전해주시는 것 같다.

코끼리를 어릴 때 쇠사슬에 묶은 것과 부동산 담보 대출 50년 모습은 다르지 않다. 어른으로 자란 코끼리에게 맞는 쇠사슬이 없어. 풀렸음에도 그곳을 벗어나지 못한다. 그곳에 익숙하게 살았고 길들어 가난을 선택하게 된다. 밀림을 탐험하듯 낯선 길을 나아갈 마음을 내야 한다. 초행길에 늦은 밤길을 찾아 헤매면서 자동차 티맵에 의존하며 길을 찾아간다.

의심하며 더듬더듬 돌며 마침내 목적지에 도착하며 안도감이 든다. 집으로 오는 길 가벼운 마음으로 와 내가 해냈구나. 하는 성취감을 느낀다. 누구나 초보 시절이 있고, 부자가 되고 싶어 책을 읽는다. 아무것도 바뀌지 않은 듯. 서서히 변화는 시작되었다. 다만 알아채지 못한다. 끝까지 포기하지 않고 나아간다면 내게도 성공의 기회는 제공된다. 그들이 만들어 놓은 방식이 아닌, 나만의 방식이어도 괜찮다. 구 사임당 아시죠. 라는 말에 알죠. 전 현승원 대표님 좋아해요. 라 말한다. 부자 될 수 있는 무료 코칭 해드려요. 제 책에 양념 소재로 함께 글 써주세요. 그것이 제게 사례금이 되어준다. 하느님께 대가 없이 받은 걸 값으로 매길 수 있을까. 시간을 내어놓고 말한다. 듣는 사람이 취사선택하면 된다. 그렇게 서로 연결되고 함께 성장한다. 늦게 잤는데도 일찍 눈이 떠져 쇼 파로 자리 옮겼다. 앉거나 서 있으면 과도한 양의 출혈이 내 몸 밖으로 배출된다. 모더나 2차 접종 후 부정 출혈이 지속된다. 가장 약한 곳이 문제가 생긴다.

화요일 산부인과 방문 주 2일 배달을 했고, 일도 그대로 했다. 대체 인력이 없어 수술 날짜를 미뤘다. 온몸으로 출혈을 받아내며 이겨낸다. 사람 몸에서 이렇게 많은 양의 출혈이 나올 수 있다는 것이 놀라울 정도였다. 13일부터 시작된 월경이 내막 상태가 좋지 않아 부정 출혈 일으켰다. 수술이 긴장되지만. 어렵고 힘들 때 성호를 그으며 함께 해주시길 청해본다. 그렇게 긴장될 땐 하느님이 큰 힘이 된다. 수술대 위에 묵주가 큰 힘이 된다. 묵주만 꼭 잡고 자 면 수술이 끝나있다.

멀쩡하다고 여겼던 것들이 마음속 깊은 어딘가엔 곪아서 상처를 만들고 있었다. 수술 후에도 괜찮지 않았다. 호르몬제를 복용하고 30일 중 13일을 출혈 있고 7일을 쉬고 또 출혈에 힘들다. 출혈을 멈추는 약을 먹고 16일 차에 멈췄다. 성경에 하혈하는 여인이 되었다. 불편함을 느끼면서도 살아가고 호르몬제를 먹으며 살아간다.

호르몬제 부작용으로 식욕이 당기고, 살찌는 부작용이 생겨서, 미사 보며 걷기를 시작했다. 줄넘기를 구매하고 뛰기로 한다. 세상을 향해 뛰어가듯. 가벼운 마음으로 달려갈 것이다.

작가분 중 하느님을 전달하는 분들을 만나면 반갑다. 전교가 별건가. 내가 가진 모든 걸 드러내는 그 모든 삶을 보여주는 거라 여긴다. 선택은 그들의 몫으로 두면 된다. 자녀가 스스로 걸을 수 있게 방향만 잡아주면 나머진 하느님께 맡기면 된다. 아동센터를 선택하고 길을 알려주면, 여러 갈래 길에서 헤맬 때도 있지만, 집으로 온다. 성당에서 집으로. 집에서 성당으로 걸어 다닌 습관이 쌓여 힘든 게 아니었다. 우리를 미리 단련시키셨고 좋은 자리로 불러주신다. 마음 따라 걷다 보면 원하는 목적지에 도달해 있지 않을까. 마음이 있는데 길이 있다고 했다. 40년간 교직 생활하고 만난 분께서도 같은 말하신다. 의외로 타인의 입을 통해서 하느님의 말씀을 듣기도 한다. 성모 유치원 욕심내라고 하듯, 하느님께선 아이들을 천주교 안에 키우고 싶으셨다. 하원의 어려움에도 모두 극복하는 방법을 찾아 주셨듯 새로운 길 앞에서 함께 해주길 믿는다. 늘 그래왔던 것처럼. 내 삶엔 하느님과의 동행이 전부인 것을. 나누는 삶을 통해 더 많이 받음을 느끼고 행복함을 느끼게 된다.

※ 참고: 네 마음 어디 있느냐 저자:현승원 출판사: 규장 2021.02

사랑하듯 돈이 모인다.

새롭게 만난 인연 그들과 맺을 관계. 그분들이 살아가는 이야기와 나의 삶 속에서 어떤 변화를 끌어갈 수 있을지. 저를 만나는 사람들이 돈에 진심으로 관리하도록 돕는 것 그게 저의 꿈입니다.

누구나 돈을 원하지만, 소비에 빠지지 않고, 저처럼 빚에 진심으로 갚길 바란다. 빚이 없다면 빚이 있다는 마음을 갖고 1억 만들기를 목표로 달려가면 좋겠다.

남편이 주는 돈에 만족하며 삶을 보내기엔 이루고 싶은 게 많다. 나를 알리고 함께 성장할 분을 찾는다. 돈이 모이지 않는다면 과감하게 두드려라. 그러면 열린 것이다. `성경 말씀처럼, 원하는 것에 길이 있다. 지금껏 제가 돈에 관한 실수를 어떻게 바꿔갔는지 다른 이들은 어떤 오류를 범하는지 말씀드린다.

처음 가는 길이 서툴 수 있지만 티맵에서 구글 지도로 바꿨듯 우리 삶에 목적지를 바꿔 보는 건 어떨까요. 월급이 끊겨서 혹은 줄어든다고 빚을 못 갚을 이유는 없고 스스로 한계를 짓지 않아요.

한 가지의 직업이 사라지면 또 다른 직업을 찾으면 된다는 생각으로 새로운 사람과 대화 나누고 관계를 맺고 돈에 관한 생각을 조금씩 전달한다. 경제적 자유를 얻고 난 뒤 즐기는 날을 꿈꾸며 오늘을 살아간다. 빚에 잠식되지 않고 조금씩 게임 하듯 갚아 나가 보세요. 소비 매력보다 더 재미남을 느낄 겁니다.

쿠팡에서 본 풍경은 자율주행과 택배 레일 작업. 분류작업과 또 다른 묘미가 있다. 몸으로 하는 일이지만, 다들 열심히 투잡을 하며 살아간다. 이렇게 힘들게 번 돈을 쉽게 쓸 수 있을까?

그곳에서 일하러 온 사람들은 마치 먹으러 온 사람처럼 배달 음식을 먹는다. 분류되지 않는 재활용품과 쓰레기를 보면 내 마음은 불편하듯 그들은 불편함을 느끼지 않고 죄의식이 없다. 미래 세대에 환경을 파괴하는 것에 대한 죄책감처럼 돈이 사라지는 것이 불편함을 여길 때 돈을 지킬 수 있다.

돈이란 어떻게 벌어들이냐에 따라 마음이 더해져 크기를 형성해 나간다. 아이의 시간과 바꾼 월 120만 원은 미안해서 물건으로 바꿀 때도 있다. 노후의 불안함에 돈을 쓰기도 했다. 물건으로 채우는 만족감은 오래가지 않는 걸 깨닫고, 만족 지연을 실천한다.

<마시멜로 이야기> 만족 지연은 아이에게만 해당하는 것이 아니라, 어른에게도 꼭 적용해야 한다. 오늘에 취해서 힘들게 번 모든 돈을 다 써버릴 것인가. 선택에 따른 책임을 당장 질 필요는 없다. 시간이 지남에 따라 부자와 빈자의 차이는 기하급수적으로 차이가 난다. 특별한 재능은 없지만. 저축 빚 갚기를 통해서도 탄탄한 돈을 만들 수 있다고 알려주고 싶다. 요즘은 다양한 투자처들이 많다. 공부가 되지 않은 상태에 운만으로 투자하기엔 난 돈을 좋아한다. 가족을 생각하는 마음으로 돈을 지켜낼 힘이 있다.

돈을 존중할 때 비로소 내게 모인다. 나를 사랑하는 사람이 내 곁에 머물듯 돈이 모이는 환경을 만들어 주자. 나와 생각이 비슷한 이들이 이곳에 모이는 것과 같다.

돈이란, 힘들게 벌어들인 만큼 쉽게 보낼 수 없는 게 아닐까. 쿠팡 일당은 모두 빚 갚는 용도로 쌓았다. 힘들게 버는 노동 소득이지만, 추가로 생긴 소득이라 돈을 버는 즐거움이 있다.

소중한 아이와 바꾼 시간. 엄마의 빈자리를 아빠와 조부모님과 채운다. 쿠팡 알바 시간은 함께 하지 못해도 또 지나갈 시간이다. 함께 있을 때 더 많이 안아주고 사랑해 줘야겠다.

휴일 혼자만의 시간을 취해 글을 쓰고 책을 읽는 건 많은 시간이 필요하지 않다. 일하며 조금씩 나눠 쓰는 만큼 시간을 잘게 쓸 수 있다. 좋은 중독은 성장을 만들어 낸다. 함께 돈을 사랑하는 중독에 빠져 부자가 되면 좋겠다.

힘들게 벌어들인 돈은 쉽게 빠져나가지 않고 모아들이는 힘이 있다. 많이 버는 자랑보다 모으는 자랑하는 사람들이 많아 돈의 주인이 되었으면 좋겠다. 내게 모여와 쑥쑥 자라줘서 고마워 라며 자녀를 대하듯 돈을 사랑하자.

다양한 방식으로 산다.

해야 하는 일과 할 수 없는 것 사이에 선택하게 된다. 하나의 선택으로 때론 놓치는 것들이 있다. 그 빈 공백을 모두 짊어질 필요가 없다고 생각한다. 물이 흘러가는 것처럼 지나가도록 둔다. 그러다 보면 제자리를 찾아가기 마련이다.

관계에도 선이 있고 서로 맞는 생각이 모이는 것처럼 같은 극끼리 끌리곤 한다. 어떻게 내 삶에 김미진 간사님 말씀과 현승원 대표의 비전이 끌리게 되었는지 신기하다. 그분이 걸어가는 신념과 나만이 만들어 낼 신념 사이에 긍정적인 모습은 닮아가며 자신의 스타일로 만들면 된다.

당근에서 글을 올리게 되었다. 누군가 내 글을 좋아해 주었고, 새로운 만남이 선물처럼 다가오게 된다. 그렇게 관계를 맺으며 살아가는 게 아닌가. 새로운 것을 배우고 옛것을 버리고 은혜 입은 모습을 타인과 나누는 것, 하느님을 알리는 삶이 아닐까.

혼자 많이 갖지 않고 가진 것을 나누는 그런 모습들이 그분이 보시기에 좋았다. 라는 말처럼. 이것이 사는 맛이 아닐까. 오늘 먼저 손 내민 엄마와 따뜻한 대화를 나눴다. 변화를 위해 지지 않기를 바란다. 내 안에 방해하는 악인에게 맞서 싸우는 자세로 정신과 약물을 끊어내는 것. 그것이 필요한 것이 아닐까. 늘 약을 어떻게 끊어야 하느냐고 묻는다. 하지만 우리는 다시 약을 선택하게 된다. 그럼에도 지속적인 끊기를 시도하다 보면 성공할 수 있지 않을까. 내 안에 들어오는 걸 취사선택 할 수 있어야 한다. 좋은 것과 나쁜 것을 구분할 수 있는 분별력을 갖는 것 그것이 조금 더 잘 살아가는 방식이 아닐까.

시간을 쪼개어 쓰듯 새로운 도전을 하면서 버는 수익만큼. 간절히 빚 갚고 싶다는 강한 열망을 지니며 시간을 판다. 노동력을 팔고 빚을 쪼개듯. 헛되지 않기를 바란다. 아직 상대를 알기에는 부족한 시간이지만, 오랜 시간을 알고 지낸 것 같은 좋은 향기를 가진 분이 내게로 온다. 좋은 분들이 내게 머물게 되고 함께 성장한다. 하나의 문이 닫히니 그 물고를 띄우며 새로운 인연을 만나며 또 다른 문이 열린다. 어디로 가야 할지 모를 땐 그저 일단 가보는 걸 선택하자. 돈을 열심히 버는데 모이지 않는 이들을 돕고 싶다는 희망을 품고서 사람을 만나 대화 나눴다. 왜 돈을 잃게 되었는지 앞으로 개선할 수 있는 길을 함께 찾는 능력이 있다. 하느님이 보시기에 얼마나 좋을까. 돈이 모으도록 돕는 사람이 되고 있다. 사람들을 만나는 일부터 시작했다. 먼저 말을 걸로 손을 내밀었다. 그렇게 하나둘 내게로 모여든다. 좋은 아이디어라며 내 곁에 머무르며 가랑비 옷 젖듯 나와 생각이 닮아 가는 게 아닐까.

혼자서 독백하듯 방에서 떠든다. 들을귀 있는 자는 들으란 마음으로 말을 시작한다. 의식하고 서서히 변화는 시작된다. 마음이 조금씩 열리고, 나에 대해 신기하게 보는 사람들이 조금씩 생기고 있다. 먼저 주고 있는데, 사실 그들에게 받고 있다. 서로 나눠 줄 수 있다는 것이 감사하다. 주어진 시간을 의미 있게 보내는 지금이 참 좋다. 좋은 인연이 내 곁으로 와 머무른다. 행복한 시간을 보낸다.

4. 1억 남기고 퇴사한다.

부자가 될 수 있다.

꿈이란 희망을 품고 앞으로 나아가기를 실천하는 것이다. 누구나, 쉽고 빠르게 부자 되기를 열망한다. 실제로 부자가 된 사람보다, 가난한 생활을 한다. 어떻게 하면 부자가 될 수 있을까. 타인에게 속하기 전 자신이 왜 부자가 되지 못했는지 상태 파악한다. 강한 마인드와 절박함을 가지고 행동하면 이루지 못할 것이 있을까.

우리 집 재정을 분석하니 보험료와 사교육비의 지출이 높았다. 힘들게 번 월급은 사라지기 바빴다. 무엇이 잘못된 것인지. 120만 원을 벌러 직장에 나와서 7시 30분에 딸과 만났다. 어린이집에 데리러 가면, 다들 엄마의 품으로 돌아가고 남겨진 아이들. 나는 언제 데리러 올까. 기다리던 엄마가 아니라 실망했을 딸. 맨 마지막에 데리러 갈 때 어떤 느낌이었을까.

17개월 아이를 맡기며, 번 돈은 어디론가 나가기 바빴고, 둘이 벌고는 있는데, 생활은 나아지지 않았다. 소비 패턴이 크게 잘못 설정된 걸 알면서도 바꿀 수 없어 간신히 버텼다. 누군가 열심히 영업해서 비싼 보험 가입하고 해지하기를 반복하며 우린 보험사의 노예에 빠져 있었다. 요즘은 핸드폰, 가전, 자동차에 빠져 사는 이들이 많다. 좋은 건 알지만, 모든 게 나에게 꼭 맞는 상품이 맞는지를 파악할 수 있어야 한다. 20대부터 넣었던 비과세 저축은 10년이 지나도 원금을 회복시킬 수 없는 구조였다. 서로 생각하는 원금은 달랐다. 월 보험료에서 사업비를 뺀 금액을 계산하고 고객은 월 납입액을 계산한다. 처음부터 셈이 다른 게임이었다. 무이자로 빌려주고 미래의 변동 금리를 받는 고객이 손해인 상품. 은행 적금 5% 이상이 있었지만, 최저 보증 2.5% 보장이라고 하지만, 10년 동안 무이자로 돈 빌려주고 -10% 이자를 납부한 후 돈을 돌려받았다. 몇 년 뒤 돈의 주인이 되었다. 월 보험금만큼 부동산 통장에다 차곡차곡 모으기 시작했다. 보험사로 월 150만 원 납부하던 경험이 헛되지 않았다. 월 400만 원의 금액을 빚 갚아도 힘들다고 느끼지 않는다. 모이는 기쁨이 있다. 가계부 예산을 짤 때 큰 목표를 먼저 세우고 행동하자. 1억을 만드는데, 2년, 3년 목표로 역산하면 월 목표 금액이 된다. 간절히 바라는 마음은 행동에 옮길 강력한 에너지가 나온다.

우리 집은 선 빚 갚기, 후지출 패턴으로 생활한다. 빚 갚기에 몰입하고 나머지는 카드 결제와 지역 화폐로 지출한다. 예산안에 소비한다. 가정마다 우선순위 부분을 정하고 그 외에는 줄이려는 연습이 필요하다. 미리 준비하지 않으면, 언젠가 나아진다는 생각은 버리는 것이 좋다.

부동산을 소유했다면, 빚은 언제까지 갚을 것인지 계획을 세워서 투자하는 사람은 없다. 부동산을 4채를 소유했지만, 은행의 지시에 따랐다. 전세금과 담보대출은 자산이 아닌 부채가 된다. 부동산 4채를 보유한 것은 부동산 가치에 따른 많은 자산을 가진 걸 자랑하며 교만에 빠져 살 수 있다. 부동산을 1채를 가졌든, 4채를 가졌든 형편이 나아지지 않았다. 빠져나가는 곳이 4배란 뜻이다. 플러스가 되려면, 빈 공백이 채워져야 한다. 왜 우리는 가난하게 살아야 하는지. 분석해야 한다. 빠져갈 땐 4배가 빠져갈 수 있고, 들어올 땐 4배가

들어올 수 있다. 부란 좋은 것을 취할 수는 있지만, 일정 기간을 참아냄이 부를 확장 시켜준다. 적은 돈을 관리할 때 점점 많은 돈이 들어와도 지켜낼 힘이 우리 안에서 생겨나 크게 키울 수 있는 그릇이 만들어진 것이다. 당신에겐 몇 배의 부가 오고 있는지. 확인하자. 가족의 수 이상은 바래야 더 많은 돈이 올 수 있다.

빚에 집중하기

나의 한계를 뛰어 넘는다.

2021년 1월 잔고 192.511.418원, 2024년 02월 잔고 74.713.919원 / 82,192,353원 지금까지 대출금 상환으로 5년 만에 13,700만원의 빚을 갚았다. 빚 갚겠다는 마음은 나를 행동하게 만든다. 빚을 모두 다 갚는 기쁨을 위해 오늘도 계속 행동한다. 지역 화폐 이용, 온라인 쇼핑 금지. 빚 갚기에 온 집중이 되어있으니 행복하다. 경제적 자유로 가기 위한 지금의 희생은 모두를 행복하게 만들어 줄 것이다. 원하는 것에 집중하길 돈 안 쓰고 달콤함을 맛보다 맛있는 케이크를 아이들과 나눠 먹어 기쁘다.

어떤 작가가 되고 싶은지. 다른 이들에게 무엇을 줄 수 있을까? 무엇을 주고 싶은가? 끊임없이 질문한다. 작가가 될 수 있을까?

이 질문에 답하며, 돈을 알리는 사람이 되고 싶어 내 삶을 꾸미지 않고, 솔직하게 자신을 드러내고 있는 모습 그대로를 좋아하는 사람들이 모이게 만든다.

나만의 루틴으로 걷기, 묵주기도, 책 읽기, 글쓰기. 돈 관리, 빚 갚기 등을 통해 변화한다.

나름대로 시간은 관리하고 돈을 관리하다 보니 돈과 시간이 낭비된다. 부자들은 단순한 것을 좋아한다.

무엇을 하려면, 돈이 필요하다. 하지만, 선택해야 한다. 무엇이 중요한지를 선택했다. 지금이 아니면 늦다 해도 내 마음은 빚 갚기부터 했다. 흔들리지 않고 먼저 나아간다. 저축이 빠른지 빚 갚는 게 빠른지 고민한다. 미래의 돈 가치는 사라진다고 하지만, 이자는 정해져 있다. 기간에 따른 은행 틀에 맞춰 더 많은 수수료를 붙일 수 있는데, 평생 은행의 노예로 사는 것이 문제다.

돈 관리하는 사람의 의지에 따라 돈은 모이기도 하고 흩어지기도 한다. 주인이 직원을 관리하지 않고 방치하는데, 장사가 될 수 없듯 돈은 자녀를 사랑하듯 가꿔야 내 곁에 머물게 된다. 잘 되는 곳에는 심리적인 요인이 따르듯, 돈은 함께 다니는 걸 좋아한다. 나갈 때는 가족 수에 따라 많이 나갈 수 있고, 적게 나갈 수 있다. 자녀 수 곱하기와 나누기에 주의하자. 욕심엔 나누기와 빼기를 적용하고 쓰기에는 곱하기를 주의해야 한다. 휴대폰은 곱하기 4가 된다. 해외여행엔 곱하기 4처럼 좋은 것만 찾는 심리가 가난으로 연결되지 않도록 주의하자. 돈을 쓰는 데는 줄이고 빚 갚는 데는 늘려서 경제적 자유를 얻게 된 다음 써보자.

빚 이자 줄이기

`내 집 마련하고 싶어!~, `사업체를 갚고 싶어!`라고 지금껏 회사가 나의 `돈의 액수`를 정했다. 하지만, 스스로 한계로 짓지 않고 싶다. 206만 원을 버는 사람으로 정 하고 싶지 않다. 그래서 할

수 있는 최선을 다해 병원을 근무 하는 동안 추가 소득원을 만들며, 광야의 시간을 보냈다. 소득원을 늘리는 방법과 노동 소득이 아닌, 비즈니스 소득을 갖고 싶다. 사람으로 들어오는 음식, 과자 등은 실제 자신이 비용을 청구되지 않는다. 물건은 들어오는데, 돈이라고 들어오지 않을까. 지금껏 살면서 예상치 못한 물질이 우리 가정에 들어옴을 경험한다. 부자가 하고 싶어, 사장이 되고 싶어 ~ 라는 건 한정된 재화가 아닌, 열린 재화로 살기를 선언한다. 들어오는 돈을 한계 짓지 않는다. 돈은 어디로 갈지 정한다. 하고 싶은 걸 정하고 돈을 보내준다. 나갈 때는 축복하며 보내준다. 지출하고 나면 우리 뇌는 잊어버리는 경향이 있기에 선결제로 잊는다. 단순한 삶, 현재 하고 싶은 걸 먼저 하면 부족한 금액은 빌려 쓴다는 개념보다 선 저축한 것을 다시 찾는 개념으로 돈을 끌어온다. 통장에 돈이 많이 있다면 흐름이 원활하게 돌아갈 수도 있지만 강제적으로 통장에 돈을 넣어 두지 않고 담보대출 상환하는 것에 초점을 맞춘다. 빡빡하게 빚을 갚는데, 왜 그렇게 살아? 하지만

은행에서 돈을 빌려서 납부하는 이자는 17년도부터 24년에도 이자를 줄이고 있다. -2017-2024년 58->49->33->27->16만 원으로 점점 줄었다. 2년 목표를 향해 걷기 위해 역산하면 30일 400만 원 넘게 갚아야 한다. 빠르게 최대한 갚다가. 월급이 줄어들면, 줄이더라도 눈에 보이는 큰 변화는 없지만 장기적으로 볼 때는 1천만 원 차이를 만든다. 빠르게 빚 갚아야 하는 이유를 직접 몸으로 경험했다. 금액이 줄어든 만큼 돈을 모이면 신나게 빚을 갚을 수 있다.

담보대출 이율이 2.644%인데, 약관대출 3.9%의 돈을 빌려 쓴다고? 왜 그렇게 까지 해라고 할 수도 있지만 나만의 루틴처럼 빠르게 상환하는 방식이다. 그렇게 하면 1년간 상환하는 금액이 얼마나 될까? 놀

라울 정도로 많은 금액이 모이는 것을 알 수 있다. 3억 원의 빚으로 분양권을 사고 빚을 상환했고, 돈이 나를 위해 일하게 만든다.

각자 자신이 잘하는 일이 한 가지씩 있다. 내가 제일 잘하는 것은 빚 갚는 것이 아닐까? 요즘 빚 갚는 것이 즐거운 일 중 하나로 바뀌었다. <오늘 빚을 다 갚았다>라는 꿈이 이뤄지길 바라며. 1억 5천으로 진입하였다. 와~ 이 돈을 다 갚으면 내 월급을 내 마음대로 쓸 수 있다고? 1년 뒤에는 통장에는 7400만 원과 약관대출 잔액 1000만 원이 남았다. 8400만 원과 느낌이 다르다. 30일간 수수료는 3만 원으로 빠르게 빚 갚는다. 약관대출 3개월 목표로 상환한다. 높은 이자는 더 빠르게 빚을 갚게 만드는 효과가 있다.

빚을 모두 다 갚으면, 일 그만둬도 돼? 라고 했지만, 갑자기 일이 사라진 반퇴의 삶을 산다. 사람 앞일을 알 수 없다. 오랜 뒤에나 만들 수 있다고 여겼는데, 벌써 한 걸음씩 걸어가고 있다. 개인의 재정을 봐주고 있고, 이것을 넘어 장소를 만들어 전문적으로 해보려 한다. 남편이 월 500만 원을 준다면, 적게 벌고 나누면 되지 않을까 하는 가벼운 마음으로 봉사하며 함께 살아 가보자. 심리상담만큼 더 들여다보기 어려운 것이 재정이며 가족이 전체를 보는 속 깊은 대화가 아닐까.

오래 묵은지는 맛이 끝내준다. 그만큼 속이 깊이 베었다는 것이고, 재정은 아이들이 많이 자란 만큼 묵힌 소비의 규모가 커서 바꾸기 어렵다. 어릴 적부터 만들어야 하는 이유이다. 나는 빚을 모두 다 갚고 경제적 자유를 얻었다.

어제 자려고 누웠는데 문득 잠이 오지 않아서, 과거를 다시 복기하기 시작했다. 예전에는 과거를 돌아볼 때 잘못했던 것을 마주할 때면 두렵고 실수가 부끄러웠고 자책하기 바빴지만 10대와 20대의 시절이 있었기 때문에 현재의 나를 만들어 낸 것에 감사했다.

힘겨운 삶을 극복한 나를 안아주었다. 잘못 했던 순간이 있었기에 또 다른 선택의 순간에 반대의 길을 갈 수 있는 것이 아니었을까? 지금 누리고 있는 삶이 선택의 순간 앞에 두려움에 앞서 도전했다는 것에 감사했고, 또 선택으로 인한 익숙해진 삶에 의존하지 않고 앞으로 나아가려 노력했다는 것이다. 다시 도전하고 새로운 시스템을 완성되기까지는 많은 고민과 고뇌들로 잠 못 자는 날들이 생길 것이다. 과거에서 현재로 성장한 것처럼, 아무것도 하지 않고 후회하진 않을 것이다.

20대에는 집을 나오려고 취직과 결혼을 향해 걸어가고, 30대는 출산과 내 집 마련을 향해 걸어간다. 빚내서 도전했던 순간이 소중했고, 욕심의 무게로 짓눌렸던 3억의 빚이 무거웠다.

빚을 바라보고 하느님께 울부짖었던 시간에 멈추는 대신 행동한다. 어떤 행동을 할지 고민하고 우선 평일 미사를 봐야겠다고 생각했고, 평일 미사 한번 두번 참여하다가 매일 미사를 하면서 새로운 목표를 가지고 행동하게 된다.

40대의 나만을 직장을 만들기 위한 불안함을 기도로 푼다. 게으름을 피하려 미사를 선택했고, 기도를 통해 원하는 것이 이뤄지길 청한다. 돈 들이지 않고도 할 수 있는 미사의 은총은 어떤 일을 할 때 끈기가 없었고, 포기하기 쉬웠던 나를 아~ 할 수 있구나. 라는 자신감이 생겼다. 아 `빚 갚는 힘 주셨구나.`로 바꿔 놓으면서 작은 돈이 들어와도 미사 보듯 빚 갚는 행동을 반복해서 해나갔다. 나를 드러내는 건 두려움이 있지만, 경험담이 또 누군가에게 나도 해자는 호기심이 생기면 좋겠다.

8천만 원의 빚을 9개월 만에 (9는=구원) 갚아낸 경험은 내 삶의 구원이 시작되었다. 2016년 분양권 살 때 통장에 100만 원이 있었다. 계약금을 적게 거는 바람에 계약 파기 당했던 사건으로 계약금의 반인 50만 원을 추가로 받았다.

돈은 활용한 사람만이 방법을 안다. 약관대출이나 부모님 등 계약금을 빌려도 되는데, 우리의 힘으로 하려니 놓이고 후회했다. 장기적인 관점이 있었다면 돈을 많이 지출해도 고층을 샀다면 어땠을까. 지나고 나면 후회한다. 돈이 없다는 설움과 빚의 무게에 짓눌렸던 시간을 어떻게든 극복해야 했다.

2017년 입주 당시 2억 2000만 원 빚지고 분양권 프리미엄 3800만 원과 8700만 원의 빚 그리고 전세 1억 5천만 원의 금액을 받으면서 3호를 사면서 8100만 원 빚낼 때의 마음과 4호에 빚을 늘리는 과감한 베팅에는 두려움이 생겨도 신축 입주만을 생각했다. 입주 후 새벽 배송하며 시간을 쪼개서 책 읽기를 하고 답답한 내 삶의 물음표와 질문에 답을 찾기 위한 여정은 꼭 필요한 시간이 된다.

돈을 갚으며 빚이 줄어드니 가슴 벅차 온다. 와~ 적은 월급이라고 무시하면 안 되네. 나 좀 멋진데 전세 5천만 원으로 시작해서 지금까지 2014년에 이사한 집에 머물렀다면 얼마의 돈을 모았을까? 현상 유지만 했을 것이다.

복리의 기적이다.

< 2016년부터 2024년 현재까지 3억 천만 원이 8400만원의 잔액이 남은 건> 누구도 해내지 않는 최고 복리의 기적이다. 내 힘으론 불가능한 것이 하느님과 동행하니 빠르게 되네. 지나고 보니 꿈만 같은 시간이다. 안젤라 자매님께서 예전에 말씀하신 3배 6배

50배 100배라는 성경 말씀이 깨달아진다. 혼자 하는 시간을 하느님과 동행하며 바꿔 나갔다. 머리로 상세하게 떠올려 주신다. 그럼 행동하면 된다.

놀랍지 않은가? 상상한다. 이 돈을 어떻게 관리하며 그리고 행동하고 바꿔 가는 과정을 거친다. 빚을 어떻게 갚았느냐고 그냥 마음 가는 데로 하면 된다. 성전 건립 기금 마련하러 와서 `조립식`에 미사 하는 모습 보니 마음 아프다. 새집을 갖고 싶었던 때가 떠오르면서 `넌 이제 따뜻한 집에서 살 자나 봉헌해 하는 마음을 주시면 하면 된다. 얼마요 하고 기도하고 그 금액대로 한다. 아까운 마음도 들 때도 있지만, 고민 없이 일시납 할 수 있다면 좋겠지만, 분납이라도 좋다. 몇 달 뒤 조립식에 미사 보는 다른 성당에서 온다. 지난번보다 더 심각한 곳에 산다. `아이들이 성당 지을 수 있나요 하는데, 많이 써주지 못해 미안하다. 교회는 부자인데, 성당은 가난하다. 성전 건립하는데, 13년 넘게 걸린다니. 더욱 마음이 아프다. 신자들의 정성이 모여 뚝딱 멋진 성전, 벽돌 한 장 봉헌할 수 있음에 감사하다.

내 힘으로 했다면 지치고 힘들다고 투정 부릴 텐데 빛 전문가가 되겠다는 마음을 먹었다. 제일 잘하는 일. 빚을 두려워했는데 배달하는 시간은 빛을 향해 새벽을 시작하며 하느님께 울며 애원하던 나의 전구를 들어주시는구나. 믿음이 없던 사람이 하느님을 믿겠다고 생각하고 믿는 건 처음에 피아노를 배우겠다는 생각으로 다니는 것과 같다. 매일 반복 하면서도 내 생각이 자꾸만 들어가면서 합리화가 시작되고 한 두 번 빠지고 싶은 충동으로 우선순위에 밀려버리고 만다. 교회 다닐 때는 가다 쉬길 반복하며 쉬었다. 피아노 소리가 만들 때까지 계속 해야 한다. 빚 갚기도 이 원리와 같다. 빚이 없다면 가상 빚을 만들더라도 행동을 강하게 해보자. 1억 모으기. 빚이 있다고 생각하고 2년, 3년을 목표로 해보자.

불가능에 가까웠다. 일단은 3년이라고 선언한다. 1년이 지났는데, 1년을 연장해서 최장 5년이 걸리든 3년, 5년이 걸리든 뭐든 좋다. 그냥 하다 보면 시스템이 만들어지고, 시간이 단축되고 예상치 못한 돈이 들어온다.

교회는 피아노를 치기 싫은 것처럼 퐁당퐁당 다녔지만, 성당은 달랐다. 세례를 받기 위해서는 주일마다 교리에 참석하고 미사를 해야 한다. 피아노를 배우기 위해서 이론 공부를 하고 피아노 치는 것과 같다. 잘하기 위해서는 집에서 연습도 한다.

성당에서 시작했던 믿음은 내 삶을 완전히 바꿨다. 변화는 서서히 이뤄진다. 삶을 바라보는 관점과 태도들이 바뀌었고, 죄의식이 조금씩 생겨났고, 나만을 위해 살았던 삶에서 타인을 돕는 삶. 책에서 말하는 기버(Giver)의 삶을 살고 싶어졌다. 가랑비 옷이 젖듯 하느님에게 흠뻑 사랑에 빠졌고, 받은 사랑을 대가 없이 나눠주고 싶은 사람이 되었다. 그렇게 무료로 사람들을 만나서 재정 상담을 해준다. 그들에게 지속성은 없지만 그래도 괜찮다. 언젠가 마음이 열린다고 믿는다. 내일을 묵묵히 해나가면 된다. 부모가 자녀를 포기하지 않듯. 나는 그들을 포기하지 않을 것이다. 나를 만나는 이들은 돈에 관한 생각을 바꿔서 부자로 만들어 준다.

나 말고, 네가 부자가 되면 좋겠다. 라는 말처럼, 네 아이는 신앙을 가지면 좋겠다고 말한다. 부모가 만들어 주지 않는데, 신앙은 거저 얻어질 수 없다. 뿌리 깊이 믿음이 자리 잡으려면 노력해야 한다.

우리 삶에 정신건강이 얼마나 중요한지를 깨닫게 된 것은 어린 시절의 상처를 통해 나의 삶을 망칠 수 있고, 혹독한 비평가이자 최고의 악역이 될 수 있고 좋은 친구가 될 수 있다. 과거에 많이 들었던 말 중 `넌 못해,` 못생겼다. 잘하는 것 없다. 이런 말이 가로막은 벽이 되었고, 무언가를 시작하더라도 끝맺거나 성취감을 맛볼 수 없었다.

많은 시간과 시행착오를 겪고 난 뒤에야 어릴 때 인생의 굴곡이 꼭 필요한 과정 중 하나였다는 것을 깨닫게 된다.

만약 다시 20대로 돌아가는 타임머신이 있다면, 당신은 그 시절로 돌아가겠습니까? 라는 질문에 나는 NO라고 말한다.

실수 많은 시절이 있었기에 지금이 내가 좋고 다가올 미래의 모습이 기대된다. 어렵게 지난 온 시간에 대한 고마움이 오늘을 만들고, 또 내일 살아갈 힘을 얻는다. 빚 갚는 것을 잘하니 빚 갚기 전문가가 된다. 빚으로 빚어진 인생에서 빛으로 가는 인생 2막 경제적 자유의 삶을 이루고 타인을 도와준다. 41세의 삶. 40km 달려나갈 인생이지만, 지금이 삶을 열심히 살아내고 있기에 두렵지 않다. 새로운 시작과 도전하는 삶을 기대한다.

소비했다 치고- 빚 갚기 법칙

급격히 찐 살을 빼기란 쉽지 않다. 위가 늘어나 음식을 원하며 높아진 물가 앞에 지갑은 가벼워지고 몸은 점차 불어난다. 빚의 굴레는 벗어나지 못 한 채 쳇바퀴를 도는 자전거 페달을 계속 밟아나가듯. 자동으로 밟는 행위를 지속하고 있지만 가계 사정은 더 나빠진다.

자산. 부채 확인하며 저축 되어있는 규모와 카드 미지출 금액을 파악하자. 나는 어디에 소비하고 있는지 파악하려면 가계부 작성하

는 습관이 필요하다. (추천: 뱅크샐러드와 종이 가계부 2가지 쓰자)

손으로 힘들게 쓰고, 눈으로는 소비의 전체 흐름을 분석하고 반성할 수 있어야 한다. 종이 가계부에 결산하지 않아도 된다.

우리는 돌아서면 까먹는 존재이고 어디를 가더라도 소비하기 좋은 시대에 산다. 앞뒤 옆만 눈을 돌려도 지갑이 열리는 삶 안에서 어떻게 관리해야 할지 생각하고 행동에 옮겨야 한다.

자산과 부채는 월급에서 순환되어 내게 돈이 들어오는 형태와 나가는 형태로 말한다. 자동차를 소유하면서 규모에 따른 비용 차이를 만든다. 부동산 자산보다 더 많은 금액을 소비하며 쓸 돈이 줄어든다. 누군가에겐 급여가 될 수 있지만 우리에겐 많은 지출이 된다.

나무를 심으려면 씨를 사거나 중간 정도 자란 묘목을 사느냐에 따라 수익률이 달라진다. 씨가 뿌려져 새싹이 피고 나무가 키우려면 시간이 걸리듯. 튼튼한 나무를 심었다고 해도 환경에 따라 나무가 썩어 죽을지 알 수 없는 것이 자연 이치인 것처럼 투자 역시 그렇다.

가진 목돈 크기에 따라 지출하는 물건이 다르다. 우리는 소비하는 돈이 없어도 카드를 무분별하게 쓰는 습관이 목돈을 모으지 못하게 한다. 카드사에서는 리볼빙이나 현금서비스, 카드 캐피탈 등으로 현금 흐름을 막으려 한다. 뒤로 미룬다면 더 많은 돈을 이자와 더해서 납부해야 하는 걸 알면서도 이를 외면한다.

S24 핸드폰 구매 하고 싶다면, 금액을 검색한 뒤 2배를 계산한다. 남편과 함께 구매하기 때문, 하지 않음을 선택하고 금액만큼 소비했다 치고 빚 갚기, 절약에도 게임 법으로 적용해야 재밌다. 테트리스 하듯, 비정기 수입이 들어올 때 모두 빚 갚는데 쓰는 돈이야 하는 신념을 먼저 적용하면 흔들리지 않고 빚 갚기. 저축 생활이 습관화한다.

소비를 하고 싶은 마음이 들 때 면, 하지 않음을 선택한 비용으로 빚을 먼저 갚는다. 소비의 지름과 빚의 지름은 마음의 변화가 달랐다. 소비하게 되었을 때는 갚을 때까지 불편하다. 빚은 갚는 순간, 기쁨이 찾아와 대책 없는 건 같지만 없으면 그냥 살아진다. 많은 물을 흘린 것을 비교한다. 빠르게 수습하기 위해 대량이 수건을 동원하듯 빚을 갚는 방법을 소비했다 치고 에 적용한다. 지역화폐 충전했다 치고 빚 갚기, 마트에서 장 봤다 치고 빚 갚기. 등을 활용할 때 더 많은 금액을 갚아낼 수 있는 에너지가 생긴다.

소비했다 치고 빚 갚는 행동력을 높여 나가보자. 더 많은 금액이 모임을 경험할 수 있다. 자신만의 제한의 신념을 깨트릴수록 더 많은 금액이 모이게 된다. 당신에겐 어떤 제한의 신념이 있나요.

빚 갚는 진심

눈덩이처럼 큰 빚도 쪼개니, 반복의 힘은 위대했다. 월급이 들어오면, 소비하는 기쁨보다 다이어트처럼 눈덩이 큰 산이라 느껴진 빚을 쪼개는 일이다. 처음 시작은 누구나 미흡했다. 하다 보니 계속 행동할 힘이 생겨난다. 글을 쓰며 기록에 남기는 기쁨은 타인에게 우리는 이렇게 살고 있다고 알리며 빚 없이도 충분히 살아갈 수 있다.

다들 돈을 원하고 부자가 되기를 원하지만, 가난한 채로 살아갈까? 생각과 다른 행동을 하며 부자로 가는 길이 아닌 가난의 굴레에서 벗어나지 못한다. 누구나 마음먹는다면 돈의 주인으로 살 수 있다. 지금껏 살면서 타인에게 흔들리기 바빴다. 이젠 나를 위해 먼저 빚 갚기로 했다. 빚 갚기 제일 신난다. 재정 관리, 건강관리 하자. 반복해서 습관으로 하면, 불가능처럼 보였던 집을 살 수 있다. 눈덩이처럼 무거운 빚이 우리에게 왔다. 입주 후 기쁨을 느끼기 전 새벽 배송을 하며 바쁘게 살았다. 2살과 6살 잠든 아이를 두고 나온다. 우유배달 해야 하냐고 눈물 흘렸다. 엄마가 없다며 불안해했지만, 시간이 해결해 줬다.

자녀를 낳고 키우고 편안함 대신 워킹 맘이 되어서 남편과 함께 무거운 짐을 함께 짊어지겠다는 생각으로 실천에 옮기며 기회는 갑자기 찾아온다. 선택에 따른 다른 결과물이 나오기도 한다. 핑계만으로 원하는 바를 이룰 수 없다. 원하는 것을 향해 나아갈 수 있기를 바란다. 누구나 월급만으로 부자가 될 수 있다. 타인에게 집중하거나 흔들리지 말고 자신을 위해 살아가면 좋겠다. 사람들은 타인의 말에 지갑을 연다. 달콤한 말로 유혹을 하지만, 내게 돈이 들어올지 모를 불확실성보다, 확정된 빚 갚기로 7개월분의 월 이자가 줄어 은퇴의 시간이 단축된다.

은행은 내게 저축이 더 났다고 하지만, 저축으로 돈을 모으는 것보다 최대한 많은 금액의 빚 갚고 나니 원금과 이자가 줄어든다. 행동을 억제하지 않고 최대한 더 크게 행동하려고 한다. 월 10만 원도 못 모았던 시절도 있었지만. 이젠 월 400만 원의 돈은 빚을 갚는데 재밌어하는 사람이 되었다. 원하는 것을 향해 걷다 보면 길이 보이고 노하우가 쌓인다. 빚 갚고 돈이 남는다. 타인 주머니 열게 하는 방법이 제일 어렵다. 마음이 흔들리지 말고 자신이 잘하는 것. 하고 싶은 것에 돈 쓰자. 빚 갚기가 제일 재밌다. 월급을 모두 갚고 통장은 텅 빈 곳이지만 무늬만 부자가 아닌, 찐 부자가 되어간다. 남편 월급만으로 만족하며 좋아하는 일을 할 때가 있다. 지금이 딱 그때인 것 같다. 예상보다 더 빨리 기회가 찾아온다. 돈에 대한 목마름을 향해 문을 두드려 보자.

2억의 빚이 있다는 것은 답답했다. 몇 년 전만 해도 눈덩이처럼 큰 산을 몸에 이고 있는 느낌이었고, 답답하고 불편했다. 빚을 어떻게 하면 다 갚을 수 있을지 암담했고, 평생에 걸쳐도 다 못 갚을 정도로 불가능에 가까웠다.

똑같은 시간을 살고 소비하는데 가난에서 벗어나지 못한다면 문제가 있다는 것을 인지해야 한다. 잘못 짜인 각본에 노출되었을 가능성이 크다. 왜 나는 돈이 없지. 아직도 돈 걱정에 힘들어하지?

돈을 걱정한다고 하늘에서 돈이 떨어지길 기다리지 말고, 행동해야 변화를 얻을 수 있고 또 다른 행동으로 바꿔 나간다. 습관을 바꾸고 변화를 꿈꾼다. 하늘에서 만나가 떨어지길 기다리는 것보다. 하나씩 만들어 가면 된다. 어떻게 만들어야 할까. 스스로 고민하지 못해서 타인이 만들어 놓은 판에 잠식되어 버렸다.

나를 가난으로 끌어들이고, 현금 흐름은 엉망이 되었다. 국가는 우리가 부자가 되는데 불리하게 만들어 놨다. 봉급자도, 자산을 가진 사람도 돈을 쓰는 사람이나 돈을 버는 사람도 모두 세금을 내게 만든다. 공휴일, 대체휴일 등 돈을 쓰라고 여행가는 분위기를 만든다. 관광지에는 많은 분이 와서 돈을 쓴다. 벌긴 하는데, 다들 주머니가 빈다. 그렇다면 누구네 곳간엔 돈이 가득한지를 파악해야 한다.

부자들은 헛돈을 쓰지 않으려고 노력하며 꼭 필요한 때 열린다. 일정 기간 도달하기 전까지 보여주는 소비를 선호하지 않는다. 대신 꼭 필요한 것엔 과감하게 투자한다. 결혼 전에는 돈을 모은다는 개념보단 쓰는 것으로 생각했고, 모으는 목적성이 뚜렷하지 않았다. 적금을 넣고 만기가 돌아와도 무엇을 한다는 방향이 없다 보니, 소비로 사라지기 바빴다. 부자들은 돈 냄새를 잘 맡는다. 그래서 부자가 된 건지. 통장에 돈이 모여 있지 못하고 쓰기에 바빴다면 통장을 텅 비게 만들면 어떨까? 생각하며 행동을 바꾼 것이 나를 위해 우선 행동하고 모자라는 부분을 채우기로 했다. 소비하기 전 머릿속으로 떠올리며 비용을 생각한다. 들어오는 음식 과일 등으로 소비가 절약된다. 매일 소비보다 빚 갚거나 저축에 집중하면 마이너스 인생에서 플러스 인생으로 변환되고 있다. 원하는 것 앞에 돈이 없다고 하지 말자. 빚 갚아도 좋은 걸 누릴 때 많다. 돈이 부족하지 않다. 그런데 우리는 반대로 말하고 있었다. 사업체를 만들 수 있다는 것을 믿고 걸어가 본다. 내게 모인 사람은 돈 걱정에서 해방 시켜주는 힘이 내 안에 있다는 사실을 믿고 행동하자.

3억 빚 1억 남고 권고사직

시간 여행자 드라마가 있다. 시간을 거슬러 가더라도 같은 선택을 한다. 아이를 키우며, 일하는 건 상상하지 않았고, 9년간 버텨낸다고 예상하지 못했듯, 작가의 꿈과 육아휴직, 유튜브 도전을 해보고 싶다고 생각하지 못했지만, 성공을 위해서라면, 무언가를 빼고 가리고 할 수 없다. 남이 하면, 뭐든 해야 하는 것처럼 나를 알릴 곳이 필요하다. 알지 못했던 생각처럼 부자를 꿈꾸지 못했을 것이다. 사람은 가보지 않으면, 알지 못한다. 아이는 마냥 이쁘고 사랑스럽지만, 아이가 잘 때가 제일 이쁜 것처럼. 키워보면, 자녀를 키우는 게 힘들단 생각이 든다.

갑자기 퇴직하게 되면서, 간호조무사 명함을 정리했다. 영원할 것 사교육비, 보험도 변화되기 마련이고. 하물며 가정에 재정 또한 변하려면 방법이 있다. 깨뜨리기 어렵다며 시도 하지 않을 뿐. 미뤄둔 집안일을 하나씩 수행하듯. 조금씩 재정을 점검하자. 학교 성적표는 어른이 되면 잊지만, 가정 성적표를 1년/ 2회 작성하자.

9년간 열심히 달려서 만들어 낸 성적표에 안도감을 가진다. 순자산 6억을 가지고 퇴사하게 되었다고 말한다. 잘못된 이정표를 빠르게 수정했다면, 더 빠르게 바꿨을 테지만, 모든 건 바뀌는 때가 있고, 김치가 무르익기까지 시간을 감수해 나가듯, 보험이 자라서 살이 붙기를 기다렸다. 바람에 흩어질 수 있는 돈이 보험사에라도 머물러 있어서 다행이다. 만약 옷과 가방, 화장품으로 모두 날렸던 20대의 경험처럼 허무한 것은 없다.

1만 원도 저축하지 못했던 작은 돈 그릇을 가져 더 작은 행동력에 실망하던 때도 있었고, 적금을 깨고 넣고 보험을 넣고 해지를 반복하던 때도 있었다. 이런 과정들 속에서 0에서 1억을 만들어 가는 과정을 거치며 2억이란 빛은 보이지 않고 잡히지 않는 돈에서 이미 만져본 돈. 자산으로 바뀌었다. 남들은 그저 열심히 어떻게 하느냐고 하지만, 절박하기에 스스로 몸을 움직이며 무언가를 만들고 있다.

늘 남이 만들어 놓았던 무대에서 놀았다면, 이젠 나만의 무대를 만들고 주인공이 되려고 한다. 처음부터 친절한 사람과 다정한 사람이 있을까. 처음 본 사람에게 민감한 돈 이야기를 할 때 건드리면 안 되는 부분이 건드려질 수 있다. 아픈 만큼 성장이 있듯, 돈에 성장통을 겪고 자기 객관화하며 타인을 통해 쓴 소리를 듣고 반성해야 변화된다. 듣기 좋은 말은 맛도 좋겠지만, 쓴 소리가 아프고 피가 되어 결국 튕겨 나갈 수도 있겠지만. 곱씹어 볼 수 있다.

처음부터 달콤한 말을 해주는 것이 좋지만, 빠르게 부자 되길 원한다면 쓴 소리를 이겨낼 담력을 키워보자.

우리가 하는 말 안에 핑계의 말을 따라가 보면 답을 찾을 수 있다. 저 잘하고 있어요. 더 이상 줄일 거 없어요. 하지만 결과물을 만드는 건 결국 본인이다.

내가 가진 자산이 1억이 있든 15억이 있다고 중요한 것이 아니라, 불안한 노후를 위해서 준비되어 가고 있는지. 준비가 되지 않다면 왜 준비가 되지 않았는지 스스로 분석해 볼 수 있어야 한다.

내가 부자가 되는 건 쉬운 일이지만, 타인의 생각을 바꾼다는 건 어려운 일이다. 종교를 권유하는 것 그 이상 어려운 일이지만. 부모의 선택이 자녀가 살아가는 길에 꽃길을 뿌릴 수 있을지 재를 뿌릴지 선택에 달린 셈이다. 나쁜 것 주고 싶은 부모는 없다. 59년생과 60년생 이신 우리 부모님은 아직도 남의 집에 폐지와 고물을 가지고 오시고 농사도 짓고 땅과 건물을 갖고 있다. 결국 다 그거 뭐 하는데 라고 하면 자식들 준다고 한다. 43살인 오빠와 41살인 남매는 어느 정도 자산을 가지고 잘 사는데 부모님이 주시는 돈이 달콤하긴 하지만, 그리 달갑진 않다. 다만 힘든 걸 조금 내려놓고 편안하게 살기를 바라지만, 내가 꿈꾸는 그림은 함께 잘 사는 사회. 나눔의 선순환을 바라게 된다. 더 좋은 상급지를 향해 나아가고 더 가지려는 욕심보단 지금 가진 걸 지키는 방법과 돈과 사람이 모일 수 있는 방법을 찾는다. 내게 가진 달란트를 타인과 나누며 혼자서 호의호식하는 부가 아닌 함께 부자 되어 나눔을 실천하는 순환 경제를 꿈꾼다.

처음 만난 사람에게 조심스레 질문을 하는 강직함이 있다. 빠르게 부자 되길 바라면서 내가 하는 행동은 빠름이 아닌 느림으로 천천히 외치는 건 아닌지. 채찍질이 때론 필요할 때가 있다. 1억 빚을 2년 안에 갚는다는 목표는 불가능에 가까웠다. 1년 이상 늦춰진다고 한들 아무도 내게 관심 없다. 하지만. 나란 사람을 생각하면 말만 앞서는 사람이 아닌. 열심히 살아가는 사람. 행동으로 보여주는 사람. 성장 하려고 애쓰는 사람으로 봐주면 좋겠다.

이야기 나누다 보면, 강점보다 약점을 파악하는 분들이 있다 그럴 땐 약점은 잘 다독여 주며 강점만 이쁘게 봐주는 아량과 아집이 만들어져야 연륜의 맛이 아닐까. 젊은 아낙 내가 혼자서 가계를 잘 꾸려보려고 치열하게 다퉜던 결과물들이 하나둘 모여서 하나의 걸작품으로 가고 있다. 이 땅에 태어나 핏덩이 아이가 내게로 온 것처럼 1천만 원과 100원도 아깝지 않도록 쓸 때도 있고 낭비할 때도 있다. 완벽함은 신의 영역이고, 부족하니깐 서로 어울리며 살아가려고 하는 것이 아닐까.

서로 보안하고 만들어 가는 공동체 그 시작에 처음부터 완벽할 수는 없지만 내가 만들어 놓은 모임에서 좋은 아이디어라며 응원하고 지지해 주는 분도 계시고, 실제 빚 갚는데 열심히 하시는 분도 계신다. 혼자 빚 갚는 건 어렵지만. 함께 할 땐 자극제가 된다.

아이의 학교 성적은 0세부터 24세 그리고 30세 그 이상까지도 포기하지 않는 부모님의 관심과 사랑으로 만들어지지만, 그에 못지 않은 가정 재정 상태 성적표와 빚 탈출 전략서를 작성한다.

5년 안 빚 얼마나 갚나요? 라는 물음에 은행에서 정해준 각본이 아닌 내가 만든 각본으로 부자의 주인공이 되어보자. 작사도 작곡도 나인데, 비판의 몫을 청중에게 둘 필요가 있을까. 첫술에 배부를 수 없듯. 조금씩 초보가 점점 나아가는 과정을 겪는다.

2년 뒤 빚을 다 갚으면 일본 여행을 떠나요. 엄마가 쏜다. 플렉

스는 목표를 이룬 뒤 야무지게 그러기 위해선 열심히 빚 갚기를 온 가족이 부동산 통장에 차곡차곡 빈 곳을 채우는 재미가 쏠쏠하다. 빚을 뺀 만큼이 자산이다. 월 16만 원을 은행에 월세를 낸다.

좋은 습관, 좋은 빚, 빚 없는 가정 만들기

끈기의 중요성을 말한다. 무의식중에도 빚 갚는 것에 집중하며 한 가지에 몰입한다. 반복해서 행동으로 옮겼더니 빠르게 돈이 줄어든다. 불가능함을 가능하게 하는 힘은 내 안에 있다. 방법을 찾고 돈이 들어오면 내가 제일 원하는 것을 실행한다. 지출해야 한다면, 저렴하게 소비 방법은 없는지 찾는다.

시간적, 경제적 자유를 향해 빚 없는 상태를 만들어 보자. 주도적인 삶을 위해 줄일 수 있는 것과 빚 갚는 것에 집중해 나간다.

소비하는 것 보다 게임 하듯, 쇼핑하듯, 지출하는 형태로 비정기 수입은 없는 돈이라 생각하고 반복해서 빚 상환해 보자. 아이들 용돈도 함께 갚는 시스템으로 한곳에 몰입하자. 큰 빚도 줄어드는 것을 시작으로 성취감과 함께 빚 갚는 시스템에 익숙해져 더 빠르게 갚고 싶어 소비가 자동으로 줄여진다. 처음 마음먹는 것이 어렵지. 빚 지지 않겠다는 마음으로 지출 통제하자.

재정의 시그널

경제적 자유를 향한 걸음은 멈추지 않아. 돈. 그게 뭔데, 우리를 괴롭히는 걸까. 사람들은 저마다 일을 하고 돈을 번다. 힘들게 번 돈은 사라지고 만다. 모두 어디로 갔을까? 은퇴한 분을 만났다. 월 700씩

벌었는데, 어디로 갔는지 모르겠다고 하신다. 월 1억 이상을 벌었다는 분은 재테크를 잘한 덕분에, 건물과 아파트 주식 다 잘했다. 한 가지 아쉬운 건 자식 농사였다. 성인이 되어서는 스스로 자립할 수 있는 능력이 있어야 한다. 부모가 만들어 놓은 자산을 바라는 대신 스스로 만들 능력을 키우자. 자녀에게 물고기를 잡아주는 대신, 잡는 법을 알려주는 부모가 되자. 이미 지나간 물을 다시 주워 담을 수 없다면, 지금 내 앞에 주어진 문제에서 답을 찾으면 된다.

둘째의 8살 11월에 휴직했다. 배 속에 있을 때부터 일하던 엄마의 모습만을 기억하는 아이, 엄마의 꿈을 향해 나아가는 걸 본다.

마흔, 불안했던 이유를 이제야 알게 되었다. 마치 누군가가 전해 준 <시그널>을 보고 미리 준비했다. 불행이 집어삼킬 수 있다. 그것이 가족의 죽음인지, 병인지, 퇴직인지 알 수는 없지만, 모든 문이 닫히면 열리지 않는 문을 바라보며 주저앉을 수 있다.

실타래처럼 꼬인 매듭의 하나의 물꼬의 물음에 답을 찾은 것 같다. 사교육비 줄이기, 빚 갚기, 책 쓰기 등 원하는 것을 하나씩 이뤄간다. 완벽하게 해낸 건 없지만 하나둘 만들어 나가는 과정에 있다.

<시그널 대비- 커다란 항아리에 독이 깨졌다. 빠르게 빚 갚기>
각자 마음의 항아리에 30일 수고비용은 능력에 따라 담는 크기의 총량을 정할 수 있다. 내 월급의 한계를 120만 원으로 정하지 않으니, 더 많은 돈을 만들어 낼 방법을 연구하듯, 돈을 담아낼 그릇을 연구해야 한다. 깨진 독인지 모른 채 열심히 벌었지만, 모이지 않는다면, 모두 받아낸다는 마음으로 빠르게 수습해야 한다. 솟아낸 물의 양에 따라 더 빠르게 많은 양의 수건을 가지고 와서 물을 닦아내는 원리를 이용해서 빚으로부터 돈을 지켜내자.

현재 만들어 내는 행동력의 크기만큼 완성된 저축의 습관을 덤으로 얻을 수 있다. 2, 3년 같은 단기 목표로 불가능을 말하기 전 일단 실행하자. 돈 없이 수입차 지른단 마음으로 빚을 정복하자.

※ 참조: 빠르게 실패하기 존 크럼볼츠, 라이언바비노 출판 스노우폭스 2022.08

새로운 공간. 시작

대경대학 자서전 양성자 교육 시작 2023. 10. 21.

익숙한 곳에서 벗어나, 새로운 여행을 떠난다. 한번 가보지 못한 곳에는 어떤 배움이 있을까. 기대하며, 소풍을 가기 전 설레는 마음으로 잠이 오지 않는다. 빠르게 실패하기 책에서는 초안은 쓰레기란 표현이 있다. 글이란 만드는 과정에서 깨달음이 얻어진다. 새로운 길을 걷듯 여러 문장을 가져다 써보면서 만들어진다. 자서전을 쓰면서 글쓰기의 매력을 맛보고 지도자의 길을 도전해 본다.

육아휴직 1일 첫 신호위반. 벤츠 방지턱 사이로 주차 중 첫 사고를 쳤다(보험사에서 340만원 물어줬다.)

초행길. 신호위반. 벤츠 접촉 사고 하루에 모든 일을 저질렀다. 잊을 수 없는 큰 사건.

지금까지 차를 소유하지 않아서 사고 일으키지 않는 게 어디냐며 위로를 건네 본다. 자신의 수입차를 박는 사고를 치고 비용을 스스로 감당하는 사람도 있는데, 하며 괜찮아. 그럴 수 있지. 수입차 수리비가 비싸다는 걸 몸으로 체감하게 되었다. 외벌이로 이 금액을 감당한다고? 가슴이 메어오지 않을까. 돈 쓰는 방식이 모두 다르다지만, 수입차를 선호하지 않아서 감사할 따름이다.

(어쩌다 마주친 그대) 드라마에서처럼. 아빠의 과거 청년 때로

시간 여행 떠난 것처럼. 부모님의 삶을 들여다본다면 조금은 그분들의 인생이 이해되고 가여운 마음이 든다. 장남은 학업을 시키면서 졸업 후 취직하면 자연스레 동생들에게 그 혜택이 돌아갔다.

이것이 일반적인 가정인데, 아빠는 초등학교 졸업 후 13살부터 사회에 나가게 된다. 작은 키로 삶의 무게가 얼마나 무겁고 힘들었을까, 장남의 무게는 가정을 책임지면서, 동생들까지 돌봐야 했다. 부모가 짊어져야 하는 무게를 장남이 함께 책임졌다. 그 시절엔 다들 그렇게 살았다. 힘들게 번 것을 알기에 부모님이 주시는 돈이 참 값지고 소중한 것이란 걸 깨닫게 된다. 딸에게 뭐든 사 주고픈 아빠의 마음. 남편이 아들을 먹는 것 보면 흐뭇한 것과 같은 느낌이겠지. 나이가 들수록 아빠와 많이 닮았다. 일을 좋아하고 자립심이 강한 것을 닮았다. 부모의 좋은 점을 닮아가듯 우리 아이들도 언젠가 나를 쏙 닮아서 경제적으로 깨어있고 부자가 되는데, 주저함이 없길 바란다.

다른 이들을 만나서 꼭 해주고 싶은 말은 누구나 자신이 원하기만 한다면, 부자가 될 재능이 숨겨져 있단 것. 하지만, 왜 우리는 돈과 반대되는 행동에 익숙해져 있는지 한번 들여다볼 필요가 있다.

돈이 모이지 않았던 때도 있다.

돈이 들어오면 가장 먼저 빚을 갚고 싶은 마음으로 행동에 옮긴다. 나와 마음 맞는 사람과 독서 모임을 하고 있다. 재테크는 혼자보다 여럿이 할 때 자극받고 행동에 옮길 시너지가 상승한단 사실. 얼마나 많은 자극을 받을 수 있을지 기대된다. 책을 좋아하고 돈을 좋아하며, 글을 함께 쓰며 돈의 맛 책 맛 글쓰기는 맛 모든 맛을 느끼길 바란다. 돈은 사랑하는 사람에게 모인다. 강한 끌림. 부자 되어보자.

가속이 붙을 때까지 달린다.

4개의 통장이 베스트셀러였다. 나는 4개의 부동산 통장을 가졌다. 쌀 때 자산을 사놓고 김치 익기를 기다리듯. 자녀를 키우는 마음으로 함께 성장해 나가는 건 어떨까?

요즘은 어디가 유명해. 새로 생긴 식당 좋더라는 말은 하지만. 돈 모아봤어? 빚은 얼마야. 월급은 얼마나 벌어? 라고 질문하면 남편에게 핀잔을 듣는다. 다들 알아서들 한다고 하지만, 관심과 사랑을 담아, 잘하고 있는지 물어보자. 돌다리도 두드려 건너라고, 있을 때 관리하길 바란다. 무관심에는 말을 건네지 않는다.

어떤 돈이 들어오면, 어떻게 쓸 것 인지 목적지를 설정하지 않으면 어디론가 사라진다. 사라지기 전에 먼저 빚을 갚는다. 통장에 돈이 텅 빈 채로 산다. 현금을 통장에 넣어두는 사람들과 다르다. 빚은 줄어들고 현금이 쌓이면 재밌다. 저축하는 습관들이 쌓여 부자가 되는 과정을 겪어간다. 특별한 사람들만 하는 방식이다. 생각하지 못했던 빚 갚는 것이 저축보다 더 빠른 행동력을 만들어 낸다. 엎질러진 물이다. 라는 말처럼 빚 갚는데 이미 써버린 걸 적게 남은 돈. 일부로 적게 남기는 게 핵심이다. 어떻게든 살아진다. 돈의 통제 권한이 자신에게 있다. 돈이 들어오면 자신만의 역할을 부여하듯 돈에 이름을 정해준다. 넌 빚 갚는 돈이야. 고맙게 자산을 만들고 단단하게 만들어 준다.

처음부터 3억의 빚을 갚으려고 시작한 것은 아니었다. 빚을 갚는 가속도가 붙기 시작했다. 과거에 소비에도 가속도가 습관처럼 형성한 걸 반대로 했다. 돈을 많이 써본 덕분에 빚 갚는데 어렵지 않았다. 불안을 조장한 소비를 제거하니 100원도 다시 보이기 시작했다. 100원으로 1000원이 되려면, 여러 동전이 어울려 만들어진다. 혼자 힘으론 오래 걸린다면 가족이 함께라면 더 빠르게 원하는 돈을 크게 키워 나갈 수 있다. 누군가가 잃어버린 동전 500원이 지갑으로 들어왔다. 카트에 두고 간 동전들과 만났을 때 비로소 천 원이 만들어지듯. 돈을 소중히 다뤄보자.

빚은 나쁜 거란 생각은 부동산 투자를 막는다. 빚을 잘 활용한다면 지렛대로 큰 자산을 들어 일으킬 수 있다. 부동산은 큰 자산으로 빚을 활용해 선투자 후 공간을 채우면 자산을 키울 수 있다.

소비하는 즐거움에서 빚 갚는 즐거움을 맛보니 더 빠르게 저축하는 것과 같다. 정기적금 얼마짜리 넣을까 하면 순간 20만 원, 30만 원 작게 행동한다. 목표 설정은 크게 할 때 많이 모인다.

돈이 모자라면 어쩌지 고민하는 것보다 일단 지르고 만다. 빚 지름 강림. 절약하는 삶을 살면서 자연스럽게 소비가 통제된다.

힘들어 숨이 턱하고 쉬어지지 않을 정도로 강력하고 무모할 정도의 큰 목표를 세워보자. 절대 들어 올릴 수 없던 빚을 활용해 큰 자산이 만들어졌다. 7천만 원으로 구매한 2호에 만족했다면, 아직 녹물이 나오는 40년 된 아파트에서 아이들을 키웠을 것이다.

3호는 인테리어하고 살아보니 방음이 별로였다. 구매할 땐 몰랐다. 주인은 이를 말할 이유가 없다. 불편함을 견디는 책임은 구매자에게 돌아간다. 1억 5천만 원의 집에서 만족하며 살 수도 있었지만, 전세 1억 6천만 원에 세입자 부부가 산다. 이들은 전세 3천과 나머지 전세 자금 대출로 최소한의 비용을 지출하며 미룸을 선택했다. 3호를 월세로 전환하지 못한 것이 아쉬움이 남는다.

4호는 3억 원의 빚을 졌고 7년째 빚을 갚으려 열심히 달렸다. 잠을 줄이며 배달하고, 배달료로 빚을 갚고 돈이 남는다.

돈이 없어 본 사람만이 돈 없는 서러움을 아는 법이다. 한번 걸어 본 자만이 길을 안내할 수 있듯. 내가 걷는 길을 걸어보는 건 어떠냐고 권유할 수는 있지만. 이 길을 걷는 건 각자의 선택에 달렸다. 정말 원하는 게 있다면 지금도 늦지 않았. 또 어떤 이는 핑계를 늘어놓는다. 전진이냐. 멈춤이냐 선택의 몫은 각자에게 있다. 선택에 따른 책임은 스스로 짊어져야 한다. 누구를 탓하거나, 원망해서도 안 된다.

모두 같은 방법대로 걷진 않는다. 각자 주어진 대로 다른 패턴과 목적하는 바가 다르듯. 성취하는 돈의 크기 또한 달라진다. 1천만 원 모이는데 시간 차이가 다르듯. 월급의 크기에 따라 소비하는 방법이 다르듯 고연봉자가 많은 자산을 쌓진 않는다. 많이 버는 만큼 비싼 소비가 자신을 포장하느라 돈이 모이지 않는다. 우리는 포장값을 제거했다. 빚 갚는 진심 다한다. 많이 버는 자랑보단, 모으는 자랑하는 사람이 많아지면 좋겠다. 빠르게 자신의 포장 값을 줄일 때 돈이 모이기 시작한다. 거품을 빼고 자산을 키워보자.

1회 허용법 : 사고 만들기

아이에겐 좋은 것만 주고 싶은 부모지만, 오늘보단 내일 더 좋은 것을 주기 위해 절약을 실천했다. 빚과 자녀는 우리를 성장시켜 주는 동력이 되어 줬다. 부자가 되어야 하는 이유를 되새기게 된다.

자동차 대신 걷기를 선택했고, 만약 택시를 타더라도 집에 올 때 걸었다. 아낀 금액만큼 아이들과 간식을 사 먹었다. 버스를 타더라도, 올 때 걷게 했다. 1회 허용하는 방법을 실천했다. 택시 1회 + 걷기, 버스 1회 + 걷기, 차량 픽업 1회 + 걷기, ktx+ 무궁화, 나만의 실천법이 만들어졌다. 초등학생. 하루 버스 2회를 탈 때가 있다. 800원인데 뭐 그런 걸로 그러냐고 하지만, 자녀가 둘이라면, 1600원이다. 어른이면 더 많은 금액이 나간다. 이 또한 쌓이면 소비를 줄이도록 주의 시킨다. 아낀 돈으로 붕어빵 먹으며 절약의 맛을 알려준다. 무심코 반복하는 금액이 30일이 뭉쳐지면 목돈이 된다. 걸으며 절약한 만큼 돈을 아낄 수 있고 건강해진다. 하는 것과 하지 않음 사이의 고민을 통해 돈을 쓰거나 모을 수 있다.

습관적으로 쓰고 있는 소비에서 답을 찾아 1회 허용법을 적용해 보자. 모든 행동에 적용할 수 있다. 적은 금액을 선택하면 남은 금액으로 해외 한 달 살이 등을 떠날 수 있는 목돈이 된다. 아이에게 아낀 만큼 만족 지연에 따른 적절한 보상을 주면 도와준다.

만약 보험사로부터 주체성을 다시 찾아오지 않았다면 어땠을까? 남편이 대출금 갚지 않게 했다면 어땠을까, 선택과 집중해야 한다. 자신이 좋아하는 것. 모이는 곳에 집중한다면 즐기는 자를 뛰어넘을 수 있을까.

남들과 다르게 하지 않음을 선택할 때 부자가 된다. 돈을 쓰러 다닐 때 자는 동안 깨어있고 열심히 달리자. 봉급이 적다면 더 열심히 움직여 자산을 만들고, 시스템화하자. 빚을 갚으며 만들어진 저축 습관은 빚을 다 갚고 난 뒤 저축을 이어갈 것이다. 한번 형성된 습관은 계속된다. 빚더미에 빠진 순간에 외면하지 않고, 정면돌파하며 빚을 정복하자. 한 번의 선택으로 모든 빚이 사라진 자리에 1억을 목표로 모으고 싶다. 한 번의 달성된 습관은 연쇄적인 좋은 습관으로 이어져 노후에 걱정 없는 삶으로 살아갈 수 있다. 한 사람의 변화로 돈을 지켜낼 힘을 얻어 보자.

1회 허용법과 무 지출 챌린지를 하면서 돈의 주도권을 찾아오면 좋겠다. 삶은 게임과 같이 재미를 즐기며 돈을 모을 수 있다.

풍차 돌리기, 주 단위 저축, 배수 저축법, 매일 2만 원, 등 하지 않는 선택이 모여 빠르게 빚을 갚았듯 10배의 노력을 담아 빚을 갚거나, 저축을 높여보자. 턱 끝까지 차오르는 정도로 숨 막히는 강한 목표일 때 가다가 멈추는 한이 있어도 계속한다. 걷기, 무궁화, 포장, 불편함은 돈을 줄이는 방법이다. 아낀 자리에 자신이 정말 원하는 것을 할 수 있는 자유가 생긴다면 하지 않을 이유가 있을까. 외식을 줄이고, 집밥을 늘려 적은 예산에서 살아가는 연습을 해야겠다. 불편할 때 돈이 절약된다. 최소한의 소비로 많은 돈을 지켜내는 힘을 길러보고 1만 원 살기를 실천하자.

새로운 문이 열린다.

2012년생 딸과 2016년생 딸을 키우면서 예상치 못했던 삶으로 이어졌다. 누가 상상이나 했을까. 주부가 되려고 했지만, 가난을 벗어나고자 자발적 워킹 맘이 되었다. 평범하게 사는데 만족하는 대신 바쁘게 살더라도 부자가 되는 과정을 즐기기로 했다.

만남과 헤어짐 사이에 묘한 기운이 퍼진다. 나가는 사람과 들어오는 사람의 기운. 과거와 미래가 공존하듯. 머무는 사람과 성장하는 사람처럼, 이젠 세상 밖으로 나가기를 선택하며, 돈에 대한 신념을 알려주고 있다.

A: 결혼한 사람(나) =결혼을 하려는 사람 (나가는 사람)/ 미혼 (함께 일하는 사람) 9년 전

B: 결혼한 사람= 미혼(들어온 사람) / 미혼- 기혼 바뀜(함께 일하는 사람) 9년 후

인생의 모든 숙제가 있지만, 숙제를 하나씩 한 사람과 그렇지 못한 이들이 있다. 만나면 질문을 하게 된다. 결혼했어요? 집은요? 운명은 만나는 사람에 따라 인생이 바뀐다. 순간의 선택이 지옥과 천국으로 나뉜다면, 인연과 악연은 누구에게나 존재한다.

학교 다닐 때 벼락치기를 즐겼다. 그러다 보니 인생의 숙제는 빨리 끝내놓고 안정감을 찾으려 했다. 남들보다 늦은 결혼이라면, 직장과 임신을 선택해야 할 때 순간의 선택이 다른 값을 만들지 않을까. 직장을 놓지 못하는 모습을 보니 안타깝다. 결혼하지 않음이 돈을 모을 의미를 찾지 못한다. 집 마련을 하지 않으면 더 많은 금액을 모아낼 힘이 줄어드는 것과 같다. 오늘의 만남과 선택이 다른 값을 만들지 않을까.

정신과 근무하러 왔을 때 모든 건 서툴고 심리적으로도 불안하던 31세였다. 17개월 아이를 키우는 3인 가족으로, 싱글이었던 동료분과 관계를 맺는데, 많은 어려움이 있었다. 그 어려움이 나를 성장 시켜준 동력이 되었고, 극복해야만 하는 문제로 받아들였다. 자꾸만 붙이는 싱글. 테스트를 위해선 돌파해야 다시 붙이지 않을 것 같았다. 입사 후 가족계획, 출산과 육아휴직 (총 4개월을 쉬고 복직했다.)4인 가족이 되었고, 두 아이를 키우며 많은 어려움이 있었지만, 모든 건 지나갔다. 제주도 여행을 가기 전 염치없단 말에 직원과 다툼이 있었고, 사직서를 던지고 싶은 마음을 참아내게 하

셨다. 다툼으로 몇 년을 침묵에 견뎌내는 힘을 주신다. 참고 인내하는 이에게 좋은 보답을 주시겠단 믿음이 있었던 걸까.

병원에서 잘렸다고 하니, 응? 거짓말 이런 반응. 9년간 일한 직원을 자르고 약사를 고용한다. 왜? 이런 반응이다. 언제 잘려도 이상 하지 않은 시한부 직장에서 타임캡슐을 타고 10년 전으로 돌아간 느낌이다.

빚 만지고 꿈이 없는 30세와 꿈을 갖고 자산이 채워진 40세, 직장이 있다가 사라졌지만 두렵지 않고, 이제는 받아들임이 빨라졌다. 불완전함의 연속이라고 할지라도 새로운 경험으로 집에서 머무는 동안 새로운 인연을 만나서 상담하고, 글 쓰고 작품 활동을 지속한다.

집 마련이 오래 걸릴 것 같았는데, 이뤄진 것처럼 마흔에 직장이 사라지면 두려움에 빠져 준비되지 않은 무방비 상태에 주어진 시간이지만, 멈춰있지 않으려 한다. 너무 잘하려 애쓰지 않고, 타인을 위해서 진심 담아 상담하고 나아간다면 원하는 것에 도달해 있지 않을까. 불편한 것을 개선해 줄 때 진심을 알아주는 이들이 많아질 것이다. 함께 성장하는 모임, 내가 가진 것을 나눠주러 만났는데, 좋은 인연을 만난다. 나이 먹고 진정한 인연을 만나는 건 어렵다고 하지만, 그 어려운 걸 해내고 있다. 세상엔 좋은 사람이 많아지려면 먼저 자신이 좋은 사람이 되어보길 추천한다. 과거엔 나쁜 사람이었지만, 점점 좋은 사람으로 바뀌었다. 자녀가 나를 좋은 사람이 되게 만들어 줬다. 새로 사귄 인연들과 다시 써내려 가는 대화가 기대된다. 설레는 만남. 다양한 세대를 한자리에 만날 수 있다는 건 축복된 인생이 아닐까.

5. 당신이 부자가 되기 원한다.

어떻게 살든 내 인생이다.

당신의 재정은 건강하십니까? 이 질문에 답을 해주시는 고마운 분을 위해 깨알 팁을 전달하더라도 깨어있는 분만 정보를 받아들여 행동으로 옮긴다.

부자들은 경제적. 시간적. 물질적. 정신적 자유, 그 너머에 사람을 연결하고 영적 성장을 추구하는데, 시간을 쓴다. 부자가 되고자 하는 사람들은 책을 보면서 부자의 삶을 들여다볼 수 있다. 누구나 어려운 시기를 지나왔다. 믿고 실행하는 자와 할 수 없다고 멈추는 사람에 따른 결과물은 달라진다. 작은 성취감이 쌓이면 자존감이 올라가고, 돈을 사랑하는 마음과 자기애가 생긴다. 꿈이 생기면서 목표를 향해 걸어갈 자신감이 생긴다. 시행착오를 겪어가며 완성되어 가듯 처음부터 완벽하지 않다. 수정하면서 만들어진다.

하늘에서 내려주는 부가 아니면, 가질 수 있는 게 무엇 있으랴. 가지고 싶다고 아들을 가질 수 없듯 보이지 않는 신의 영역이 존재 한다. 타인에게 공헌하면 언젠가 신이 감동하지 않을까.

많이 가질수록 자신이 더 높다고 뽐내기 좋지만, 벼는 익을수록 고개를 숙인다고 한다. 혼자서 배불리 먹는 부가 아닌, 타인과 함께 만들어 가는 자산. 튼튼한 머니 트리를 키워보자.

늘 정형화된 삶을 살다가 마음이 끌리는 데로 살고 있다. 호기심에 쿠팡 알바를 가고, 국회의원 선거 운동을 하고, 우유 배송과 분류 알바하고, 독서 모임 지기가 되어 운영을 해보고 출판 기념 강연을 하고, 새로운 경험으로 나를 던져본다. 어떤 모습으로 성장할지 알 수 없는 자녀를 키우는 것처럼 믿고 걸어가 보자.

어떻게 살든 인생은 마음으로 사랑을 전달하면, 좋은 사람들이 내 곁에 머물러 최고의 걸작품이 탄생하는 게 아닐까. 마지막 종착지는 정하지 않고 떠나는 여행처럼 오늘을 기쁘게 살아간다면, 멋진 작품으로 완성된다. 조연의 인생에서 이젠 주연이 되어보자.

독서하며 돈 모아 봐요.

독서하는 정기 모임, 개인 재정 상담, 각 가정의 소비를 점검하며 모이지 않는 생활에서 개선할 수 있도록 돕는다. 가정 재무 성적표를 작성해요. 꿈 그리기. 월간 재정 결산하기. 다음 달 예산 세우고 반성하기. 읽고 싶은 책을 정해 봐요. 책을 읽고 매일 블로그 1회 작성해요. 1억 원 실천 목표 설정하기. 나도 작가가 될 수 있다. 돈에 대해 궁금하고, 돈이 모이지 않는다면, 실행에 옮기고 싶은 분. 부자가 되고 싶은 분 강력 추천. 함께 부자 되어요. 간절히 원하면 실천력이 따라와 부자가 될 수 있다.

누군가는 하나의 결과물을 만드는데 온 정성을 다한다. 그 결과물이 세상 밖으로 나왔다면 활용하는 것은 각자 몫이겠지만 마지막 월급을 파티하며 돈을 쓰는 대신 한곳에 꽁꽁 묶어 두고 잘 자라도록 분갈이 해주는 것과 같다. 스스로 통제하지 않는다면 돈은 흩어지기 마련이다. 돈을 사랑하고 아껴주고 부자가 되어야 하는 강력한 열망을 갖고, 1억을 목표로 걸어보자.

빚이 줄어드니, 추가 소득 만들기 위해 노력한다.

모임을 개설하고 아이디어가 좋다고 하지만, 방장이 만들어 놓은 결과물과 내가 만드는 결과물까지 가려면 거리감이 생긴다. 달콤하지만, 스스로 만들어 맛 들이기까지는 오랜 시간이 걸린다. 들어오는 마음과 실행하는 마음이 다르고, 결국 머무는 마음에서 침묵이 길어지면 이곳에 머물 이유를 찾지 못하고 나갈 이유를 만드는 건 돈 사용처를 정하는 모습과 같다.

돈을 모으고 싶고, 책을 읽고 싶은데 행동력이 옮겨지지 않는다면 책을 읽어야 하는 이유와 돈을 모아야만 하는 이유를 찾아야 한다. 질병에 걸리면 어쩔 수 없이 운동하는 것과 같다.

자신을 시스템 안으로 끌고 들어가 꼭 해야만 하는 이유를 만들자. 무료라는 이름에는 미루기란 숙제가 발생한다. 학교 다닐 때 미루던 일기처럼, 하기 싫은 일이 독서나 돈 모으기가 아닐까. 오늘을 미룬다면 다음번에 날아올 청구서의 양은 곱절로 날아들 것이다. 개구리를 먼저 먹어 치우는 마음으로 설정값을 바꿔 보자.

달성하기 어려운 것이 독서, 돈 모으기, 출판이다. 이 세 가지를 한꺼번에 해보자고 한다. 버킷리스트를 달성하는 마음으로 꼭 이뤄보자. 혼자는 어렵지만 함께라면 즐겁게 나아갈 수 있다. 우리 함께 독서하며 돈을 모으고 글을 써봐요.

돈이 모이지 않는다.

새로운 꿈을 위해서 자신을 성장시키기 위한 가을 여행을 떠난다. 과거의 나와 미래의 나를 연결하는 새로운 꿈을 향해서. 과거에는 돈을 벌고 싶어 직업이 필요했다. 집이 싫어서 기숙사 있는 직업을 선택해 공장에 취직했다. 먼 길을 돌아 대학에서 간호사의 꿈은 불가능할 것 같아 포기했는데, 간호조무사의 길을 걷는다. 모두가 가는 길로만 가려고 했다. 가보지도 않고, 도전하기를 멈추거나 도망가려 한다. 누구나, 적절한 때가 있다. 벼랑 끝까지 나 자신을 밀어붙였던 시간이 단단하게 단련 시켜줬다. 모든 고난과 괴로웠던 사건들은 극복해 나갔고 물 흐르듯 시간이 필요했다. 오늘이 마지막처럼 이 순간에 열중했다. 실수투성이지만 이젠 과거의 일에서도 자유를 얻었다. 약 재고 맞추느라. 늦게 퇴근하지 않아도 되고, 약을 빠뜨려서 집까지 가져드리지 않아도 된다. 약 기계에서 부서지는 약과 낱알 떨어질 때 불안함이 없었다. 민감한 약들이 기계도 실수하는데, 사람이라고 실수하지 않을 수 없다지만. 9년간 맞지 않는 옷을 입고 외줄을 타며 간신히 버티려 안간힘을 쓰고 있었다. 사람들을 만나면 괜찮지 않았는데, 괜찮다고 했다.

퇴사할 위기의 순간도 있었지만, 침묵하게 했고, 준비하게 하셨다. 모든 건 지나간다. 지금까지 해줄 수 없었던 것들을 해줄 수 있는 시간이 있다. 두 딸의 초등학교 입학식에 참석할 수 없었다. 이젠 부모 면담과 졸업식을 눈치 보지 않고 갈 수 있다.

돈을 향해 나아가더라도 받은 은혜에 감사하며 살아야 한다. 감사함은 모르기 때문에 어리석음에 손에 잡은 것을 잃어 마음이 무너졌다. 마지막 순간에도 믿음을 택하지 않는 지인을 보면서 절박할 때 신앙과 자선을 베풀고 빛과 마주하는 행동의 실행이 성공으로 가는 열쇠이자 통행로를 찾았다.

삶에서 누군가를 부자로 만들고 있나요? 쿠팡. 11번가, 쇼핑 아니면 여행 등 아닐까. 각자 자신이 좋아하는데 몰입하기 좋다.

소비의 늪에 빠졌던 습관을 빚 갚는데 몰입한다.

소비하는 즐거움과 빚 갚는 즐거움의 차이를 경험하자. 무엇이 더 재미있을까 직접 맛보자. 부자가 되는데 특별한 방법이 있는 게 아니라. 우선순위를 먼저 잡고 빠르게 행동하기. 추가 소득원을 만들기 위해 집중하기. 그렇게 벌어들인 소득은 빚을 갚거나 저축하는데 써보자. 소비의 기쁨보다 채워지는 맛을 경험하게 되면 모이지 않는 사람에서 모이는 삶으로 변하게 된다.

월급을 모두 갚아보니, 단단함이 있었다. 맞벌이에 한 사람 월급 이상을 모아보자. 돈이 모이지 않을 땐 1년만 돈을 쓰는 대신 모아보자. 습관은 반복할 때 만들어진다. 모이지 않았던 지난날을 후회하며 오늘을 열심히 모으며 살아간다.

곱하기 전략 주의

사람과 사람은 만남을 통해서 모르는 세계로 끌어당긴다. 새로운 곳에서 밥을 먹고, 늘 같은 음식이 아닌, 새로운 음식을 먹듯. 호기심은 두려움을 뛰어넘는다. 자녀의 수가가 내 행동력의 힘이 나온다. 두 딸은 2배의 힘을 5자녀가 있다면 5배의 힘을 받으며 성장할 에너지가 이미 내 안에 숨겨져 있다. 그 힘을 알아채지 못한다. 새로운 일과 낯선 환경으로 나를 데리고 간다. 늘 쳇바퀴처럼 돌아가던 일상에서 벗어나. 익숙하지 않은 곳에 나를 데리고 간다. 처음 가보는 길은 티맵을 켜고 길 안내에 따른다. 목적지를 설정하지 않으면 어디든 휩쓸린다. 쿠팡 헬퍼만 믿고 기다릴 수 없어서 나 자신을 팔았다. 다양한 곳에서 일을 하며 소득을 늘린다.

곱하기 전략, 나누기 전략, 더하기 전략

가족의 수에서 곱하면, 우리의 기본 값은 4명/부모 4명(8)

휴대폰을 산다면, 삼성 s24를 선택하거나, 사양에 따른 가격 차이. 중고에 따른 가격과 가족 수를 정할 수 있다. 머리로 계산하는 연습을 들이자. (제주도, 해외여행 대중교통, 물건, 다양하게 적용)

생활에서 자주 생각할 수 있다. 해외/국내 여행을 간다면, 기본 인원을 생각하듯 생활에서 수시로 계산하는 연습을 들이자. 따라 하는 소비는 `나도 나도` 주의해야 한다. 엄마의 핸드폰 구매는 자연스럽게 남편과 자녀에게 영향받듯, 가족이 눈에 밟힌다. 허용하면, 금액이 커질 수도 있고 미루기가 좋다. 때론 행동은 작게. 과감하게 지원할 수 있어야 한다.

제주도 여행은 비행기와 차량과 펜션 등 기본이다. 인원수 따른 추가 비용이 발생하듯 저렴한 여행을 선택하고 돈을 아낀다.

물건에 따른 조금 더 저렴한 선택지를 찾는 방법에 적용하며 나누기 전략을 세운다. (나누기)- 중고, 지난 상품, 음식 적게 먹기, 빚 갚기, 소비 줄이기, 등 좋은 것은 더하고, 가족에게는 곱해 줄 수 있는 여유로움을 가지면 좋겠다. 여행을 갈 때나 음식을 먹을 때 가족이 생각나기를 바라고, 부자가 되고 싶은 이유, 불필요함은 나누고, 자신이 가진 것들을 나누고 빚을 줄여나갈 때 부자가 될 수 있다. 결국 더하고 나누는 것은 하나로 이어지기도 한다. 더하기 곱하기 나누기를 적절히 사용해서 부자 됨을 실천하자.

※ 빚의 출구 전략 세우기

- 1억 빚 갚기와 저축 만들기
- 5년 60개월 167만 원
- 4년 48개월 209만 원
- 3년 36개월 280만 원
- 2년 24개월 417만 원

3년이나 2년 목표로 달려보자. 하다가 조금씩 줄여도 되지만, 처음부터 월 417만 원, 280만 원, 300만 원 이상을 높여보자. 처음에 높은 설정 값이 갑자기 실직해도 빚 갚는데, 줄어든 소득에도 괜찮다. 비정기 소득과 보험금 환급 등 예상외 소득은 없는 샘 치자. 적은 월급으로 살고, 높은 임금은 없다고 생각하자. 무보수로 일 한 다 생각하며 빚을 갚으니 우리 가족이 보험사가 되어 불안으로부터 돈을 지켜낼 수 있었다. 연금저축 해지한 걸 후회하지 않는다. 그 자리에 빚을 갚는 선택을 했고, 더 많은 돈을 모아낼 힘이 생겼다. 월 소득에서 300만 원, 400만 원을 뭉쳐내는 힘이 내게 생겼는데, 타인에게 주도권을 주지 않아도 관리할 힘이 있다. 빚이 없었다면 정복해 보고 싶은 마음을 먹지 못했을 것이다. 식당에서 많은 음식을 덜어 먹고 남은 음식을 포장하는 습관처럼, 나눌 줄 아는 습관이 중요하다.

음식을 적게 먹는 연습처럼 돈을 적게 쓰는 연습이 부자로 만드는 건 아닐까. 적게 쓰고 돈을 지켜낼 힘을 가져보자.

많이 쓰는 비용에서 조금씩 덜어내는 연습으로 돈을 지켜보자. 빚에서 해방할 수 있을 것이다.

잠시 쉬어도 괜찮아.

노란 국화와 빨간색 국화 그리고 하트 아이비까지 더해 만들어진 나만의 정원 손수 심어보는 화분이라 더욱 뜻깊은 체험. 다양한 사람이 모여 웃고 게임하고 하루를 알차게 채웠다는 느낌이 물씬 풍긴다. 뜻깊었던 시간. 좋은 곳에 산책 나오듯 걷고 자연을 느낄 수 있어서 좋았다. 우리에게 공짜로 주어지는 시간을 사진 속 기억으로 남는다.

일이 있다는 건. 세상에 쓸모가 있는 사람이 된 것처럼 나를 불러주는 곳이 있어서 좋았다. 하루라는 여행지에 이곳저곳 옮겨 다니는 지금이 좋다. 내게 채워주는 것에 감사하며, 타인에게 나눌 수 있는 하루를 살아야겠다.

인생이란 어떻게 살아가든 정답을 정하지 않고 마음이 가듯 선택을 받으면 떠나는 여행가처럼 살아간다.

코로나는 영원할 것 같았던 직장도, 공동체도 잠시 멈춤을 가져다준 시간이었다. 그 시기가 있어 재정비할 수 있었다. 끝남을 미리 준비하면서, 들어오는 돈을 쟁여놓게 되었다.

돈 이란 어떻게 편성하고 관리하느냐에 따라 다르게 이뤄진다. 정부에서 돈을 줄 땐 좋았지만, 물가가 올라 당황하는 이들이 많다. 정부는 코로나 지원금을 줬다가 높아진 물가와 세금으로 빼앗아 가기를 번갈아 가며 운영한다. 개인이 꼭 돈 관리에 힘을 써야 하는 이유를 새삼 깨닫는다.

부자는 하늘이 만들어 준다고 한다. 비를 내리는 기우제를 지내는 것처럼. 신앙을 가졌다는 것이 내겐 축복이었다. 만약 혼자서 부자가 되어 독식했다면, 돼지가 되지 않았을까. 북한의 권력가들은 풍채가 부를 상징하고 있다. 시민들은 굶어 죽는다고 하더라도 핵무기 개발에만 온 에너지를 집중하며 산다. 어디에 줄을 서느냐에 따라 삶이 바뀌었다. 같은 나라라고 하지만, 둘이 하나로 합쳐지더라도 체제가 합쳐지긴 어려울 것으로 보인다.

나이가 들어서 뭐든 과함은 좋지 않아 보인다. 물이 흐르는 것처럼 고이거나 막힘없이 돈이 흘러넘치지 않도록 담아낼 수 있는 그릇이 있어야 한다.

- A: 50대 중반의 그녀는 부모의 상속분과 지금껏 벌어들인 소득 등 25억 이상의 자산을 가졌다. 누군가의 달콤한 말에 홀리듯 자신이 가진 재산 중 22억을 사기당해 집 한 채만 겨우 되찾았다. 돈을 잃고서 마음의 병까지 얻어 우울증에 걸렸다.
- B: 많은 재산이 있어 가족 간의 다툼으로 가족을 죽음으로 몰아간 사건으로 부모와 형제가 죽고 남겨진 자식과 상속받은 재산을 가지고 행복하게 살 수 있을까.
- C: 우울증과 공황 장애로 세상과 마지막을 선택했다. 자식을 잃은 부모의 슬픔은 어떻게 살아야 할까.

흔히 뉴스에서 일어나는 사건들이 가까운 주위에서 일어난다면,

가족과 바꾼 돈, 자녀들은 돈을 어떻게 여길까. 유산을 상속받은 자녀는 어떤 반응일까 갑자기 가족 목숨과 바꾼 돈이 우리에게 말하고자 하는 건 무엇일까?

돈이 뭔데, 우리를 이렇게 괴롭히는 걸까. 뉴스에는 다양한 아픔들이 시시때때로 나온다. 돈보다 더 소중한 것은 화목한 가정이 아닌가. <금수저> 드라마에서 부자로 살던 황태용의 결핍감은 가난

한 집에 가서 채움을 받고, 가난한 집에서 부자가 된 이승천 가난한 시절의 가족을 그리워한다. 가난은 누군가의 비극이 되기도 하지만, 부자가 된다고 결핍을 돈으로 채울 수 없다. 돈이 인생의 모든 게 되지 않듯 적절하게 잘 쓸 수 있어야 한다.

양날의 검처럼. 많아서 욕심을 부리려고 한다면, 신이 우리에게 도로 빼앗아 가지 않을까.

내 삶에 쉼은 다양한 사람을 만나게 해주는 축복과 같은 시간이었다. 돈 욕심에만 빠지면 나락으로 떨어질 수 있으니, 잠시 쉬면서 돈 관리에 부족한 분들을 도움을 주고 있다. 누구에게나 행복과 지옥이 함께 공존하지만, 우리는 선택할 수 있다. 준비되지 않은 노후는 모두에게 불행으로 이어질 수 있듯, 재정 점검 후 관리에 힘썼으면 좋겠다. 내가 가진 것을 내어줄 수 있어 감사하는 마음으로 사람들을 만나는 지금이 참 좋다. 오늘이 마지막처럼 준비하며 살자. 누구에게나 은퇴의 시간은 미룰 수 없다.

시간의 마법 여행이다.

엄마와 딸은 참 사이가 좋아. 결혼하니 엄마와 사이가 서원해졌다. 내가 생각하는 엄마의 모습과 동떨어져 기대감에 미치지 못했다는 이유로 엄마를 부정하며 미워했다. 모임에서도 현실 모녀의 모습이라 하지만, 티격태격. 하며 살아가고 있다.

오빠는 부모에게 잘하는 효자 아들이었다. 친정만 챙기면 되는 오빠와 양가를 챙겨야 하는 나의 무게감이 다르다. 아이 하나 키우는 힘과 둘과 셋 차이는 또 다른 문제처럼 아이 하나만을 키우는 오빤 자녀에게나 아내에게 충실한 가정적인 아빠. 남편의 모습. 우리 남편의 시선은 나를 빼고도 생각하고 신경 쓸 선택지가 많아 소홀할 수밖에 없으며, 애정을 갈구하면 피곤해한다. 스스로 원하는 것을 만들고 살아내야만 했다.

엄마와 둘만의 시간, 산책로를 함께 걸어보고, 자연이 주는 치유력과 공기 바람 흙 내음을 온몸으로 느꼈다.

가진 것 없이 태어나, 살려고 그랬다는 그 대답에 무엇이 필요할까. 엄마의 이번 대구 여행에선 가족의 뿌리를 찾아서 떠나고 있다. 갑자기 엄마가 보고 싶다며 첫째 오빠와 다녀왔다. 6남매 중 막내, 60년생으로 아직 꿈 많던 그 시절 마음으로 살아내시면 좋겠다. 기쁘게 오늘이 참 소중한 날이란 걸 잊지 않고 살아가면 좋겠다.

엄마의 행복은 딸의 행복과 직결되어 진다. 엄마의 우울에서 시작된 정신과 방문, 정신과 근무 시간이 지나고 나서야 나를 살리기 위해서 이끌어졌다는 것을 알게 된다. 지나고 나서야 보이는 것들과 놓치면 후회하는 것이 보이기 마련이다.

시대적인 흐름을 생각해 본다면 조금은 안쓰럽고 가여운 마음이 든다. 양가 부모님의 공통점은 가난의 정도가 각 가정마다 차이가 있었고 연애결혼은 사랑해서, 중매결혼은 사랑하지 않지만, 아이 놓고 살면서 가족이 되었다.

그렇게 자신의 자리에서 열심히 했지만. 결국엔 나이가 들었고, 은퇴했고, 아직 열심히 일하시는 아버지가 있다. 나이가 들면 병이 나는 사람도 있지만, 잘 이겨내는 사람도 있다. 비켜 가기를 기도하더라도 어차피 온다면 잘 받아들이고 치유하고 살아야 한다.

아버지는 위암 3기가 걸린 때가 내 나이 25살이었다. 청천벽력 같은 마음이 무너졌다. 잘 버텨내셨고, 내가 해줄 수 있는 건 아무것도 없었다. 과거 오토바이 사고로 어린 핏덩이 둘을 두고 6개월 식물인간 상태에서 엄마의 극진한 정성에서 살아낸 목숨. 그렇게 다리에 철심을 박고, 한쪽 다리를 절게 되었다. 그만하면 다행이라며, 작은 키로 무거운 가전제품을 들고 잠을 줄이며 일하셨다. 신이 우리 가정을 돌보지 않았다면 늘 어려운 순간을 넘길 수 없었을 것이다. 이미 지난 일을 회상할 땐 힘들었던 시간을 하나둘 들여다보면 상처받은 마음과 불안. 두려움으로 막막한 현실이 암담하지 않았을까?

누가 결혼이 순탄하기만 하다고 할 수 있을까. 철없이 한 결혼은 현실이었다. 돈을 모르고서는 삶을 생각할 수 없듯. 결국 가난으로부터 전쟁을 선포하고 이겨낸 자만이 부유함을 가질 수 있는 훈장이 아닐까.

먼저 길을 걸어가고 있는 아버지의 모습에 힘입어 내가 주어진 길에 묵묵히 이겨냈다. 아버지에게 받은 성실함과 부지런함이 씨앗되어 선인장처럼 때론 오뚝이처럼 어느 밭에서 떨어져도 살아낼 수 있는 작은 불씨가 되기를 원했다.

지금까지 일한 직업은 삼성 sdi와 병원 3곳이 된다. 총 4개의 직장을 다니면서 돈과는 거리가 먼 선택을 하게 하셨다. 삼성 sdi 마지막 월급이 110만 원이었고, 돈보다 신앙을 소유하기로 마음을 먹은 시작으로 삶에는 작은 씨앗을 숨겨 놓으셨다.

너 그렇게 살면 죽어. 살려면 내게 와 내가 너를 편히 쉬게 해줄게, 아버지 집에 가자는 느낌으로 간 게 아닐까. 믿음의 뿌리를 단단히 내려주는 부모가 부러웠다. 그래서 모태 신앙을 가진 자녀로 키웠다. 부족함과 결핍감이 있어야 괴로워하며 기도를 드리게 된다. 아직 풀리지 않은 네 부모님을 기쁘게 살아갈 수 있도록 어떤 도움을 드릴 수 있을지 작은 선물을 해드릴 방법을 생각해 본다.

시대적인 아픔을 모두 받아 온 부모님들은 지금껏 살면서 많이 고생하셨다. 부모님의 사랑은 지금도 이어진다. 결혼한 자녀 걱정은 그만하시고, 자신들의 삶을 기쁘게 살아가시길 기원해 본다.

살리는 삶. 건강한 가정.

모이는 집으로 만들어 가는 재정 사역을 한다. 누군가는 해야 하는 일. 말을 전하는 자와 자신을 직면해야 분석할 수 있고, 지금까지 전업 엄마, 남편에게 의존하거나, 아이를 키워야 하는 사명감에서 사교육비와 소비 지출이 많았다. 엄마들은 김장을 한번 할 때 1년 치를 담아내면 끝나는 노동이지만, 남편의 노동은 365일 계속되고 끝나지 않는 다람쥐 쳇바퀴의 노동력에 시간을 팔며 이어지지만 모이지 않고 새어 간다면 답답해진다.

이 모든 상황은 한 사람의 책임으로 맡기기는 어렵다. 오늘의 선택이 미래 가족의 행복과 재정 건강이 직결된다. 가정이 탄탄해야 사회가 건강한 것이 아닐까.

간이 부었다. 소비로 인해 커지면 그릇도 커진다. 우리는 흔히들 이런 말을 듣고 살았다. 저 사람 간이 부었네. 또는 간이 콩알만 해졌다는 말. 두 가지 말은 부자의 크기에서 따지고 볼 때 적절히 잘 사용한다면 부자 될 수 있다. 저 마누라가 미친 거 아냐. 그렇다 우리는 무언가에 미쳐야 성공으로 가는 길에 목적을 달성한다.

나는 빚 갚는데 미쳐 있어 돈이 모였다.

소비에 집중하고 빚 갚기에 집중한다. 모든 지나치면 욕을 먹는데, 후자로 욕을 먹는다. 빚을 몰입해서 갚는 건 좋은데, 너무 쪼인다고 숨 막혀한다. 간이 부었다는 말을 듣더라도 돈을 탐내며 탐색하면 좋겠다. 목표를 향해 원하는 걸 성취해 가는 성장 마인드를 가졌음 좋겠다.

빠르게 빚 갚는 방법을 찾거나, 저축 늘리는 법을 연구한다. 나에겐 잘하는 것이 저축하고 빚 갚는 것을 사람들은 제일 어려워한다. 좋아하는 걸 직업으로 만들 수 없을지 생각한다.

데이브 램지 머니 전문가이자 투자자. 사람들에게 영향력을 끼치는 인물로 행동 변화하도록 이끈다. 많은 영향력을 끼친 작가로 빚을 빠르게 갚도록 행동력을 이끌어줬다. 데이브 램지 같은 머니 메신저가 되고 싶다.

4인 가족은 빵을 사더라도 4개가 필요하고 집도 4개가 있어야 한다. 어떻게 집을 살 수 있을까 생각하면 하나를 사는 게 어렵지 두, 세 개는 쉽다. 사는 데만 목적을 두면 살 수 있다. 물건을 살 때 신중하게 생각하지 않지만, 집처럼 큰 자산을 살 땐 너무 신중한 나머지 집을 사지 않는다. 그럴 땐 실수도 해보면 얻는다.

사람들을 만나보면, 결혼. 임신. 출산. 육아. 집 마련. 대학교. 노후. 효도. 등 해야 하는 과제들이 있지만. 하나씩 생략하는 분들이 계신다. 결혼 후엔 숙제를 모두 이행해야 한다고 생각하며 모두 행동했다. 개중엔, 하나둘 포기하는 이들이 있었다. 노후에 살집은 꼭 있어야 한다. 내 집은 포기 한 채 자녀에게 올인 말자.

월 800만 원 이상 버는 사람이 있는데, 모이는 게 하나도 없다. 급기야 1억의 빚이 있는데, 부동산 준비는 되지 않은 채 자동차 캐피탈, 토스에서 빌린 고가의 대출 여러 건, 소비로 채운 지출이다. 마음만 먹으면 1년 안에 모든 빚을 갚을 수 있지만, 하지 않음을 선택한다. 그 또한 그분의 몫일 뿐, 버는 만큼 모으는 힘을 함께 키우면 좋겠다. 언젠가 끝날 소득을 모아놓지 않을 때 재앙이 다가온다는 걸 빨리 깨닫자. 남편이 열심히 벌어들 인 소득을 모두 쓰지 말자. 죽어 있는 가정을 돕는데, 사명을 갖고 상담한다. 내 돈이 모이는 것도 아닌데, 행동을 바꿔는 분들이 있어 감사하다. 한 사람의 생각이 새로운 시각으로 변화한다. 돈이 어디로 사라졌는지 의식하지 못했는데, 상담을 통해 돈의 출처를 파악하게 되고 조금씩 돈을 지킬 힘을 갖게 된다. 아무도 하지 않는 일이지만, 가던 길을 멈추고 방향을 바꾸는 이들이 많아지면 좋겠다.

※ 출처: 7가지 부의 불변의 법칙 저자: 데이브 램지 출판:다산북스 2020.01

당신이 부자 되면 좋겠다.

아무도 당신이 부자가 되는데, 관심이 없지만. 당신이 부자가 되면 좋겠다. 오지랖도 이 정도면 병이라고 할 만큼. 이상한 생각을 하고 있다. 이 추운 날씨에 유모차를 끌고서 거리를 내몰게 된 건 누구의 잘못일까. 노모가 유모차를 끌고 도로를 걸어간다.

추운 날씨에 아이들은 센터로 데리러 오길 바라지만, 걸어오라고 했다. 우리는 자동차에 익숙해진 삶을 산다. 몇 해 전에는 자전거와 걷기에 진심이었지만, 또 차를 가지고 다니는데. 익숙해지니 걷기 귀찮아졌다. 그렇게 자동차에 기름 넣는데. 익숙해져 먹을 돈이 줄어든다. 어떻게 살아가든 살면 된다고 하지만, 잘 사는 데는 돈을 버는 것만큼 노력이 필요하다. 열심히 산다고 살지만, 모이지 않는다면 무언가 잘못된 게 아닐까.

한번 사는 인생 부자는 되어봐야 하지 않을까. 1억은 꼭 모아서 부자가 되자. 이 땅에 태어났으면 꼭 1억은 모아봐야 하지 않을까. 그 시작에 작은 돈부터 모아보자.

익숙했던 것에서 벗어나기. 불편함을 선택하기. 걷기 일상화하기. 재미나게 즐기기. 즐기는 자에게 이길 자가 있을까. 재미나게 살자.

남들이 가는 패턴에 흔들리지 않고 나만의 길을 걷는 즐거움을 즐기는 자가 되어 모이는 기쁨. 채워진 부를 즐기며 누릴 수 있는 날이 오길 기대하며 오늘 하루 멋지게 살아내자.

1만 시간의 법칙에서 재능보다 즐기는 자를 뛰어넘을 수 없다. 돈 버는 능력이 뛰어나진 않지만. 내게 들어오는 돈을 지키는데 탁월한 재능으로 바꾸려 한다. 남들이 월 천만 원 번다는 이야기보다, 월 400만 원 빚 갚고 저축하는 내가 정말 멋지다. 비싼 차 타는 사람 예쁜 옷을 입는 사람. 여행을 즐기는 사람이 부럽지 않고, 빚 없는 그녀가 더 부러운 오늘. 내게도 빚이 없는 그날을 위해 멋지게 성취할 날이 빨리 오길 기다려 보자. 행동력은 남다르단 사실에. 격려하시는 분들이 있지 않을까. 열심히 살아내는 내 인생이 난 너무 좋다.

가는 장소를 만들고, 나를 알리고 부자가 되는 방법을 나누고, 원한다면 부자 된다. 행동하는 자에게만 복이 내린다. 부자가 되어 보지 않으실래요.

※ 출처: 1만 시간의 법칙 저자:이상훈 출판: 위즈덤 2010.03

서로에게 시간이 필요했다.

30년 차이의 고부지간, 사랑하는 마음은 있지만, 잠시 거리 두기를 선택했다. 어머님과 닮은 듯 전혀 다른 삶이지만, 자신만의 향기대로 색깔을 만들어 간다. 서로 다른 것을 가졌다. 늘 부족한 부분인 아이들을 예쁘게 봐주셨다. 그 마음은 늘 마음에 남는다. 서로 장점을 인정하고 건강한 관계를 유지하기 위해 잠시 거리 두며

그렇게 단절된 생활 하면서 잠시 서로를 생각하는 시간이 필요했다. 참 불편한 시간이었지만, 꼭 한번은 지나가고 넘겨야 할 시간이다.

코로나 전으로 돌아갈 수 없듯, 투쟁으로 점점 바뀌어 간다, 유방암 전과 후가 늘 같다면, 내 몸의 신호에 귀 기울이고, 자신을 아끼고 사랑해야 한다. 제사보단 날 사랑하는 자기애를 만들자. 아이들이 훌쩍 자랐고 할머니 손길이 많이 필요하지 않은 것처럼 서서히 놓을 필요가 있었는데, 며느리 입에서 그만 오시면 좋겠다는 말 뒤엔, 아이들을 보러 오셔서 청소와 요리까지 하는 모습을 보는 건 불편했다.

가까운 사이일수록 아들에게 반찬을 퇴근 후 들리라 한다. 자녀들에게 오게 만들어야 한다. 한 달 한 번은 가던 사이가 이젠 대면해졌다. 성당을 자주 갔고, 열심히 봉헌하면서 이게 맞는지 헷갈리기도 했다. 부모에게 드리는 돈은 아끼면서 성당에다 돈을 더 많이 주고 있다는 게 참 아이러니했다.

마음 열기는 시간 걸린다. 다녀오면 마음이 한결 편해진다.

우울증이란, 내 마음의 소리를 들여다보며, 마음을 알아차려 달라는 표현이다. 마음을 알아주고 다독이고 참 멋져. 넌 세상에 최고야. 예뻐 등 자기애를 가진 사람으로 변해간다. 소리침은 소리에 귀 기울여 달란 외침이다. 괜찮다는 말 대신 마음을 표현하는데, 연습이 필요하다.

누구나 우울증을 앓고 있지만, 마음을 알아차리고, 기분을 좋게 만들 활동을 하면 마음이 나아진다. 완치라는 건 없지만. 지속하면서 내 마음을 들여다보는 훈련을 하면서 글쓰기 해보자.

세대 간의 격차를 좁힌다는 건 어렵겠지만, 힘들다는 목소리를 내면서 조금씩 이해의 눈으로 바라보게 된다. 각자 좋아하는 일이 있고, 힘들어하는 일이 있듯, 지금까지 늘 해온 일이 아닌, 시대에 따른 변화를 수용할 수 있어야 한다. 나이 듦에 따른 몸의 신호를 알아차리고, 하지 않음을 선택하며 자신을 아끼는 마음이 필요하다. 그러기 위해 잠시 시간을 두고 강력한 투쟁에 나섰다. 틀린 방법인걸 알지만, 떨어져 있는 시간, 사랑하지 않은 건 아니었다. 남편과 이어진 사이에 손녀가 있듯 마음이 앙금이 눈 녹듯 녹았다는 어머님 말씀에 미안함이 묻어난다. 암과의 싸움에서 다시 얻게 된 생명에 감사하며 자신을 사랑하고 아껴주며 살아가길 기도한다.

하지 않음을 선언하기

자신이 잘하는 일이 있는데. 제사를 50년간 해내면 완벽함으로 달인이 된다. 출판 마무리 작업하는 가운데, 설 전날 오랜만에 명절에 갔으나, 내 마음은 불편했다. 못 올 장소에 온 것처럼 할 일

없이, <바디 프렌즈> 두 타임을 하며 몸을 회복한 후 싸움을 시작하기 위해 몸을 풀었다고 해야 하는지. 내 마음도 잘 모른다. 왜 말을 꺼내기 시작한 건지. 이미 시도했고, 바뀌지 않는다고 하지만 조금씩 의식하고 변하기 마련이다. 괜찮다는 말 대신 괜찮지 않다는 걸 알아차리면 좋겠다. 유방암 치료 1년, 음식 혼자서 3일씩 준비하는데 괜찮은 게 더 이상한 게 아닐까. 제사 보내는 문화를 조금씩 바꿨으면 좋겠다며, 투쟁 중이다.

음식 하지 않으면, 올게요. 그전엔 혼자서 시간 보내기로 했다.

자신이 좋아하고 잘하는 것에 집중한다. 14년째 명절에 친정을 갈수 없는데 익숙해졌는데, 시비 거는 오빠와 마주하고 스트레스를 가져와 몸을 해치고 싶진 않다. 마흔은 이제 스스로 선택할 수 있어야 하고 그에 따른 불화가 따라 올 수도 있지만, 조금씩 이해시켜야 한다. 아예 단절 선언이 아닌. 명절만이라고 했다. 이 방법이 틀린 걸 수도 있지만, 나의 잘함을 개발하고자. 엄마의 일은 적당히 선택하듯 중요한 자리를 위해 비워 냄을 말하고 있다. 우린 과거 규정에 따른 원칙을 요구 당해왔다. 결혼하지 않는 선언도 많은데, 결혼으로 엄마의 자리 완벽함을 요구하지 않기를 바란다. 나는 돈 욕심과 성장 욕심이 생겼다. 며느리의 내려온 관습을 받아들이지 않게 되었다. 그러다 보니 어머님께서는 마음을 비우셨고 혼자 하신다. 각자 잘하는 것을 하며 살아도 인생 그리 길지 않다. 투쟁으로 얻어낸 것 명절에 자유를 얻었다. 추석에 성묘하고, 설 다음날 제사를 한 번에 지내는 걸로 바뀌었다. 한 사람의 목소리로 얻어낸 결과에 다들 좋아하신다.

네겐 친정에도 가지 않는 명절을 결혼 14년 지냈다. 이제는 내 삶의 행복을 위해서 어머님께서 오지 말라는 말을 기다리는 대신 가지 않겠다고 선언한다. 자신의 삶을 책임지고, 만들어 갈 수 있어야 한다. 명절의 형태가 점점 바뀌 나가고 있다. 각자 자신만의 소신껏 살아가면 좋겠다.

책을 읽고, 아이들에서 벗어난 시간이 엄마에게 필요했다. 이땐 할머니께 가족을 빌려 드릴게요. 가족애를 많이 느끼고 사랑 나눠 주세요. 친정은 천안이라, 시댁보다 많이 가지 못했다. 그래서 마음이 더 아팠는지도 모른다. 결혼하고 나니, 갈 곳이 사라졌다. 싸우고 나서 아빠에게 보고 싶다고 울며 전화했다. 나 결혼 잘 못했어. 라며 부모 마음을 아프게 할 때도 가끔은 있어야 한다. 너무 괜찮다고 말했었다. 하지만, 괜찮지 않고 힘들었다. 가끔은 아빠에게 하느님께 고백하듯 성사하는 느낌으로 말하지만, 내 편보단 그럼 안 된다고 한다. 당장 달려갈 수 있는 거리가 아니라 마음이 아팠다. 싸우고 친정 가는 게 버릇될까 멀게 두신 건지. 받아주는 이가 없고, 내 편이 되어주지 않아서 가지 않겠지만. 두 딸에게 기댈 수 있는 따뜻한 엄마면 좋겠다. 언제든 네가 싫으면 다시 돌아와도 돼` 하며 마음에 쉴 곳이 되어주는 것, 결혼 후 마음 둘 곳이 없어 성당이 친정과 같았다. 아내에겐 쉴 공간이 필요하고 혼자만의 시간이 필요했다. 아이들에게 가끔 해방이 필요했다.

이번 싸움은 남편은 맥주 5캔을 마셨고, 아이스크림 먹어도 돼? 라는 말로 무언의 화해를 했다. 그리고 조금씩 바뀜을 선택한다. 어머님이 아들을 다독이며, 말했나 보다. 자상하지 않은 사람이었다. 자극받으면, 자상하고 피곤해서 그렇겠지만, 아이들과 반곡지 다녀오는 정성, 그렇게 또 하나의 추억을 함께했다. 아빠와의 오붓한 추억이 아이들에게 필요하다. 자리를 비켜주고 혼자 있는 시간을 즐겨보자. 엄마에게 자유를 선물하고 제사에서 해방되어 지금껏 열심히 한 노력에 보상해 주자. 남은 생 제사가 아닌 좋은 것 누리며 행복하게 살아가면 좋겠다. 사랑하지 않으면, 화나지 않고 침묵을 선택한다. 어머님들이 자신을 사랑하며 아끼면 좋겠다.

어떤 인생을 살아야 할까?

▓ 96년생 연인과 랜드로버 97년생의 삶

20대 철이 없는 사람들이 많지만, 자신의 삶을 멋지게 이끌어가는 예쁜 5개월째 연애 중이다. 96년생 남자는 자가 2채를 보유하고 투잡을 하면서 바쁘게 살아가고, 주말엔 위험한 질주, 짜릿한 스릴감을 즐기다 안전고리 같은 연인이 다가왔다. 참 서로 닮은 부분이 많은 동갑내기. 이렇게 잘 맞을 수가 있을까. 염려했던 모든 건 아무런 문제가 되지 않게 만든다. 돈을 함께 쓰고 싶지 않다던 동생에게 만약 사치의 배우자를 만난다면 최악이지만 벌써 팔천만 원을 모았다는 말에 와 대단해. 경제적 자립을 만들고 있는 예쁜 동갑 연인의 미래가 궁금해진다.

그들과 비교할 때 자신의 인생을 망치는지 모르고 타인의 삶에 태클을 거는 사람이 있다. 실수라고 하기엔 뭔가 이상한 교통사고를 당하고 찝찝했다. 사고로 인해 천만 원 정도 되는 돈을 보험사로부터 전액 현금으로 가지고 갔다. 돈을 쉽게 생각하는 건지. 처음에 발생한 사고가 그를 괴물로 만든 것은 아니었을까. 바늘 도둑이 소도둑 되어 화려함을 이끈다. 좌회전 시 차선 물린 차량만을 노리고 랜드로버 2년에 사고가 5건이라고 한다. 그는 사고로 5천만 원을 만들어 냈다. 예기치 못한 한번의 사고가 여러 번의 능숙

함이 만들어진다. 너무 자연스럽게 와서 부딪히는 황당함에 나를 자책하고 있었는데, 당했다. 원인을 제공하며 천만 원을 기부해 준 셈이다. 불우 이웃도 아닌, 가난한 이에게 나눠주고 싶은 기부였지만 내 주머니에서 나간 건 아니지만 원인 제공으로 큰돈을 나눠주었다. 와 돈 벌기 쉽다고 하지만, 쓰고 가치 없이 사라진다. 그의 인생이 참 불쌍해 보이는 건, 자신만 빼고는 다 아는 사실. 자신의 인생이 망가지는 소리는 들리지 않는다. 좋은 걸 하고 살고 싶지만, 9가지를 포기하면서 하나를 잡는 것이 수입차였다.

원룸에 살면서 화려한 1억짜리 랜드로버를 타고 다니는 청년과 6억을 가진 나, 1억짜리 차를 갖는 대신 아파트를 소유했다. 돈이 나오는 나무를 원하는데 타인에게서 만드는 돈이지만 형태가 다르다.

남에게 좋은 에너지를 주는 것과 타인에게 발을 걸어 넘어트릴 때 지금 받는 돈이 달콤해 보이지만, 어리석음으로 언젠가 크게 자신의 삶을 막아서는 어둠으로 끌고 갈 것이다. 인생을 멋지게 살아도 좋은데, 나쁜 에너지를 만든다. 꼬리가 길면 밟힌다고 널 위해서 매일 기도할 거야 꼭 잡히기를 빌어본다. 마지막엔 지금까지 받은 것을 다 토해내며 후회할 날이 온다. 인생 막사는 20대가 많다. 그에 비해 미래를 일찍 준비한 이들이 참 멋져 보인다. 어떤 삶을 살고 어떻게 자녀를 키워야 할까. 욕망에 빠져 선악을 모르는 괴물로 키우진 말자. 20대에 깨닫지 못한 걸 벌써 일찍이 준비하는 동갑 친구들의 미래가 어떻게 바뀔지 기대된다. 현재의 삶도 좋지만, 미래를 대비하라는 말을 전한다. 평생 운전만 할 수 없으니, 가업을 물려받거나 자신이 좋아하는 일을 찾길 바란다. 돈을 열심히 버는 이유를 찾아야 한다. 돈 버는 데만, 매몰되지 않고, 안전 운전하길 바란다. 1억 모으기 저축을 실천하고 있다는 말에, 와 대단해하며, 어린 친구에게서 좋은 점을 배워보길 바란다. 인생의 숙제는 미루면 고통이 찾아온다. 빠르게 안정의 궤도를 달리게 되는 20대가 부럽지 않은가. 부러워하며 따라 해보자. 행동은 부러울 때 나오는 것이다. 질투하며 1억 모으기부터 해보자.

상담사례와 후기

☝ (상담 1) 우리 뇌는 늘 가는 길을 걷는 오류를 범한다.

과거의 고통 속에서 하느님이 어떤 방식으로 쓰실지 알 수가 없다. <돌아온 탕자>가 되어 아버지 품으로 왔다. 우리는 고통이 너무 커서 함께 오는 행복을 마주할 용기를 내지 못하고 멈춰있다. 열심히 달리고 있는데, 잘못된 길인지 모르고 한 우물만 파고, 돈이 되지 않는 걸 알아채야 한다. 글에서 간절함과, 같은 자리를 맴도는 모습이 보였다. 새로운 길을 열어주고 싶어 상담 요청을 했다. 부유함은 자랑의 근원이 되면 화를 불러온다. 많이 가졌다면, 나눌 수 있어야 한다. 하느님께서 주시는 것만 받아도 흘러넘친다.

이분이 눈길이 간 건 원고를 부탁하면서 냉담 중 임을 내게 알린다. 부를 채우려면, 하느님과 함께 만들면 더 크게 채울 수 있음을 내 삶을 통해서 고백할 수 있다.

같은 시기에 하느님을 알았지만, 열심히 하느님 뜻을 따라 찾기를 선택한 안젤라와 아버지 품으로 마음을 돌리게 된 안드레아. 절대자인 하느님을 믿고 앞으로 걸어갈 길에 어떤 성장을 함께 이뤄낼 수 있을지 기대본다. 우리의 아픔까지도 모두 위로하시는 아버지를 믿고 걸어보자. 어린 안드레아에게 감사의 인사를 전한다.

어려운 시기를 잘 극복해 주셔서 감사하다.

가시밭길을 걸었지만, 하느님께서는 더 좋은 밭으로 나를 데리고 가주실 걸 믿고 열매 맺는 삶을 살아가시길 바란다. 자신이 겪은 과거는 또 다른 이에게 나누도록 주신 선물과 같은 것이 아닌가 생각한다. 비록 아팠던 과거지만, 헛된 삶은 없다는 것. 과거에서 숨겨진 보물을 찾아 나만의 열매를 맺길 응원한다.

☞ (후기 1) 돌아온 탕자 한계를 깨트리길 응원한다.

나의 유년 시절은 경제적이든 정서적이든 하위 1%의 가난하게 살았다. 서글픈 시절을 돌아보는 건 고통이었다. 부모님은 자주 싸우시기 바쁘셨고 평온한 날을 떠올리기 어려울 정도로 만나면 싸우셨다. 오죽하면 따뜻한 밥을 먹고 편하게 자보는 게 소원이었다. 두 분은 자주 싸우다 지치셨는지 몇 년을 헤어지고 재결합을 반복하시다 결국 이혼하셨다. 어머니는 집을 나가셨고, 아버지는 재혼하려다 뜻대로 되지 않아 술에 의존하셨고, 일을 하지 않아 가정 형편은 엉망이었다. 그렇게 젊은 나이에 아버지는 돌아가셨다. 아직 초등학교 5학년에겐 아버지의 따뜻한 보살핌이 필요한 나이였지만, 남들에게 평범한 일상이 내게 허락되지 않았다.

할머니와 몇 개월을 살다가 4년을 작은아버지 집에서 눈치 보면서 천덕꾸러기 신세 구박을 받았다. 집에서 느끼지 못한 안정된 유년 시절로 기억한다. 조카를 키운다는 건 쉽지 않다. 시간이 지나고 보니 미운 마음도 감사함으로 바뀌었다.

어머니와 중학교 3학년 때 살게 되었다. 내게도 새 아버지가 생겼다. 평온하게 살아가는 가정을 꿈꾸지만, 과거 아버지와 다투시던 모습이 그대로 이어지고 평온함은 사치로 여겨지며 안정을 갖기란 어려웠다. 부모가 가정을 책임져야 하는데, 나는 돈 걱정을 했다. 집에 돈이 없으면 작은 아버님 댁에 돈을 꾸러 다녀야 했고 하교 후 목욕탕 알바와 주말이면 막노동해서 받은 삼만 원을 어머니께 드렸다.

방학이면 다른 친구들은 놀러 다닐 때 막노동 일을 하는 건 비참한 마음도 들었지만, 야속하게도 열심히 일한 돈은 내게 들어오지 않는다는 것이 더욱 절망스러웠다.

학교에서 취업 보내줬다. 처음으로 큰돈을 만져봤고 돈을 지키기 위해 가출도 실행해 보았지만 결국 그 돈은 내게 들어오지 않았다. 돈이란 써야 그나마 지킬 수 있다고 생각했다. 쓸 때 만 내 돈처럼 여겨졌고 쓰지 못하면 날 라가 버린다는 잘못 형성된 인식들이 모이지 못하게 만들었고 잘못 설정된 값을 오랜 시간 가난에서 벗어날 수 없었다. 일을 해서 돈을 빼앗기지 않으려고 모두 써버렸고, 모으면 사라질까 두려웠다.

성인이 된 후에도 일을 해봐야 받을 것이 없어 재미도 사라졌고 살아남기 위해 집을 나왔다. 친구랑 대출을 받아 사업을 하다가 잘되는 것 같지만, 예상과 다르게 빚과 소비와 부채가 함께 늘어만 갔고 걷잡을 수 없을 정도로 부채는 감당할 수 없을 지경까지 이르렀다. 눈덩이처럼 커져 버린 빚은 이자를 감당하기에도 버거웠고, 원금과 이자가 순식간에 불어나 버렸다. 급기야 몇 년 만에 감당할 수 없을 정도의 빚더미에 빠져 신용불량자 되면서 빚쟁이가 되어 버렸다.

가장 밑바닥인 순간에 사랑하는 사람이 생기게 되었는데, 지난 세월이 야속하게 느껴지기도 했지만, 이 사람과 함께라면 힘든 시기도 이겨낼 수 있을 것만 같았다. 이때 개인 회생을 시작하며 돈을 조금씩 모으게 되었다. 어둠을 혼자서 걸을 때는 빠져나올 수 없는 절망이었지만, 내 편인 사람이 생기고는 어려운 시간을 극복할 수 있다는 자신감이 붙는다. 책임져야 하는 가장이 되면서 아버지란 무게는 힘차게 달려갈 수 있게 되었다. 아들에게 가난을 물려주지 않기 위해 열심히 일을 했더니 결혼 후 몸도 마음도 안정을 갖게 되었다. 회사에서 업무에 인정받아 최고의 연봉자로 대우까지 받게 되었다.

개인 회생을 거치면서 잘못된 소비 습관을 바꾼 계기로 돈이 모이기 시작하니 월세에서 전세로 자가로 옮겨가며 돈이 불어나는 재미를 느끼게 되었다. 아내가 함께 일하게 되면서 가정에 들어오는 돈이 늘어나 구축 아파트지만 처음으로 월세를 받게 되면서 집주인이 되는 흥분감과 돈이 모여들며 하나씩 이뤄내는 성취감들이 쌓여 2채의 월세 투자자가 되었다. 빠르게 실패한 경험들이 쌓여 내 삶을 풍요롭게 만든 것은 아니었을까.

과거 집에서 안정감을 가질 수는 없었지만, 내가 만드는 우리 가정은 안정감을 가지고 돈 걱정 없는 평온함을 아들에게 줄 수 있다. 어려운 환경에서도 나쁜 길로 갈 수 있지만, 성실한 성품들이 나를 잡아준 게 아니었을까. 누구에게나 힘든 삶의 어려운 역경은 있기 마련이다. 책을 읽으며 만들어진 긍정적 에너지와 성실함을 가진 노력이 모여 지금의 나를 만들었으며 가족이 든든하게 지탱해줄 울타리가 되어주었다.

저 아파트 4채라고 약간은 당돌해 보이는 그녀, 글 몇 번으로 사람을 만난다는 것이 이상하고 부담이 되었다. 자서전을 쓰고 있다는 분이라 기대감과 호기심으로 차 한 잔 마시는 가벼운 마음으로 나갔다. 최근 자기계발서를 미친 듯 읽고 있는데 그 안에 있는 사람이 바깥으로 툭 하고 튀어나온 느낌 이였다. 태도나 마음가짐 또한 어떠한 꿈을 꿔야 하는지 내 머리 지식으로는 알지만 그걸 하고 있고 서슴없이 내뱉는 말들이 책 내용들을 함축하고 있었다. 이상하게 웃음이 났다. 속으론 내가 끌어당긴 건지 하는 의구심도 들었다. 역시나 마음 한구석이 불편했지만 스스로 한계를 넘기 바라는 말에 그것 또한 자기계발서에 자주 나오는 말이라서 반박할 수 없었다.

60 넘으면 자서전을 쓴다고 생각했는데 정희 님 덕분에 미리 자서전을 맛보기 할 수 있어서 그 점 또한 참 감사하다. 항상 멋진 꿈의 글을 카페에 남기는 앞날에 무궁한 발전을 바라며.

- 함께 성공을 꿈꾸는 건이 아부지(이찬희)

☝ **(상담 2) 빚에 관한 조언을 따라 하셨다.**

아파트 당첨은 하늘의 별 따기보다 어렵다고 하지만, 당첨자. 내가 원하는 곳에 당첨이 된다면 좋으련만, 살고 싶은 곳이 아닌, 투자하는 곳에 당첨된다. 선택해야 한다. 투자금이 없거나 빚이 두려워 계약을 포기하게 되고, 프리미엄을 받을 수도 있지만, 하락장엔 사려는 사람 없어 시장이 꽁꽁 얼어붙었다. 경기도 권에 당첨된 아파트를 분양 후 지금까지 가지고 갔다면, 얼마나 상승했을까. 수성구 분양권을 계약했다면, 후회가 모여 다시 도전해서 얻어낸 기회는 운명의 장난인지. 지방에 분양권 2채 당첨. 과거 분양권을 놓치고 난 뒤 불안에 떠밀려 계약을 감행한다. 입주 장을 앞두고 있다. 거제도 아파트에 `에어 비엔비`를 해보는 건 어떨까. 버텨보고 수익을 창출하기 위해 절박한 마음으로 행동하면 뜻하는 바를 이뤄내지 않을까. 조언을 이행하는 건 각자의 몫에 달려있다. 답은 스스로 찾아야 한다. 계약하지 않았다면 팔아야 한다. 분양권을 팔고 8천만 원이 들어왔다. 이 돈으로 무엇을 하면 좋을까? 계획에 없는 돈은 흩어져 사라질 수 있다. 누구나 잃을 걸 알고 투자하는 분이 있을까 실패를 통해서 깨닫게 되는 게 있다. 소신 있는 투자로 돈을 잃지 않았으면 좋겠다. 분양권 당첨된 사례를 예시로 작성했다.

☞ **(후기 2) 경제적 자유를 향한 빚 갚기!**

1. 일도 열심히 하면서 열심히 살고 있는 것 같은데, 왜 내 삶은 나아지는 게 없을까?

근무 17년, 결혼 13년 40대 워킹 맘으로 단 하루도 공백은 없이 일했는데, 엄마로 머물 수 없이 성공을 향한 열망이 강해 야근도 서슴없이 했다. 그런데 지금 경제적 부분을 계산해 보니, 남은 것이 없다. 명품 하나 없고, 일이 너무 바빠서 여행 갈 시간도 없었고, 열심히 일만 하며 살아왔는데 월급 통장은 텅 비었고, 살고 있는 집은 70%가 은행 꺼, 주식은 마이너스 70%에 두 아들과 남편이 있다. 무엇이 문제였을까? 최근에 돈 관리의 기적, 재테크, 웰씽킹 유튜브를 통해 알게 되었다. 돈 관리와 경제 문맹이 만들어 놓은 무관심이 문제였다. 많이 버는 것보다 가지고 있는 돈을 잘 관리하는 것이 더 중요하다는 것을 깨닫고 수정해 나갔다.

2. 당장 돈 관리 시작이다!

돈 관리를 위해 먼저 지출을 작성해 보았다. 고정 지출을 파악하고, 대출이자만 납부했다. 금리 인상으로 월 이자가 눈덩이처럼 불어나 있었다. 의식하지 못하던 대출에 대한 심각성을 느끼고 불편하기 시작했다. 이제부터 목표는 돈 관리로 빚 갚기 (주식에 에너지가 흩어져 돈을 잃고 있었다는 것을 알지 못했다.)

상담을 받으며, 대출의 심각성을 한번 인식하고, 대출을 줄여나가는 방법들에 대한 조언을 받았다. 덕분에 소극적인 빚 갚기에서 적극적인 빚 갚기를 실행하였다.

먼저 여기저기 흩어져 있는 자금들부터 확인하여 청약저축, 연금저축 등을 해지하고, 주식 중 일부 본전 이상 된 것들은 매도하며 2달에 2천만 원을 상환할 수 있었다. (월급도 함께 상환) 또 일부 대출을 금리가 0.5% 정도라도 낮은 대출로 갈아탔더니 이자도 10만원 줄었다. 적극적으로 행동하니 성과가 있었다. 그리고 지출 줄이기를 위해 노력 중이다.

아이들 교육비에 대해서도 기준을 세웠다. 아이들이 원하고 의지가 생겼을 때 지원해 주자! 학교에서 무상으로 지원 프로그램 활용하기, 외식비 줄이기로 지출이 많이 줄었다. 할 수 있다!! 이제 나의 가장 큰 관심사는 돈 공부, 둘째는 건강과 운동, 셋째가 아이들 훈육과 교육이다.

- 첫째, 5년 안에 빚 청산. 5년 안에 5천만 원 모으기.
  - 경제관념으로 잃지 않는, 안정적이고 건전한 장기투자를 하며 행복한 노후를 준비할 것이다.
- 둘째, 아침 5시 기상. 운동과 독서 등으로 나의 시간을 건강하게 누리기.
  - 출근 전 새벽에 수영을 다니고 있는데, 아침이 너무 상쾌하고 재밌다.
- 셋째, 긍정적 영향을 주는 사람이 되자.
  - 퇴직 후에는 적극적인 봉사활동(재능기부)을 할 것이다.

- 아이들에게도 올바른 경제관념을 심어주어 더 나은 삶을 살도록 도와줄 것이다.
- 빚을 갚을 수 있도록 수입을 주는 직장과 건강한 몸과 정신이 있음에도 감사하자. (필명: 무지개)

☝ (상담 3) 때론 취중 진담이 필요하다.

취중 진담이 눈길을 끌어, 사는 게 힘들어 책을 읽고 있다는 그녀! 무엇이 힘든지 확인해 보려고 원고 수정하느라 바쁜 가운데 2월6일 만났다. 글에 진정성 있다며 마음을 읽는 사람과 왜곡된 시각으로 바라보는 사람이 있다.

비슷한 마음은 끌어당기듯. 타 독서 모임과 다른 모습으로 만들어 가려고 한다. 책과 돈 그리고 글쓰기 우리가 살면서 겪는 문제들을 어떤 시각으로 바라보고 해석할 수 있는지에 관한 타인의 시선으로 다시금 생각해 보는 것이 책이라면, 모르는 사람에게 나의 말을 전하지만, 전혀 관심 없는 사람에게 메아리치듯 말은 다시 돌아오고, 같은 곳을 바라보는 이들의 시각엔 어떤 생각이 숨겨진 의미를 배우고 발견하고 적용해 볼 수 있다. 우리는 누구나 나약한 존재로 상처를 주기도 하고 받기도 한다. 사랑은 바랄 땐 주지 않는다는 생각 대신 주지 못한 입장을 먼저 생각해 볼 수 있다.

없는데도 과하게 줄 땐 그 또한 부담스러워 더 많은 걸 주려고 노력한다고 말을 전했다.

부모에게 무언가를 바라는 대신 스스로 바로 설 수 있어야 하고, 자녀에게도 과도한 지원은 자립을 떨어트려 의존성에 빠질 수 있다. 두 딸을 강하게 키웠는데, 만약 아들 가진 집에서 의존성으로 키워 두 사람이 가정을 이룬다면 그들이 과연 행복할까.

부모의 역할은 먼 미래를 바라볼 수 있어야 한다. 돈 관리 교육을 해야 한다. 처음 만난 이들에게 원고를 부탁하며, 기분 좋게 써주셨다. 소모임 장소까지 알려주셔서 2월 22일 첫 모임으로 5명이 만났다. 40, 60세대의 조합, 다양한 직장에서 쌓아온 지식이 모여 여러 가지 생각들이 한 책에서 만나 대화를 나누게 된다. 앞으로 읽게 될 책과 생각 나눔이 기대된다. 이렇게 만나고 어떤 삶의 변화로 이끌어갈지 설렌다. 새로운 만남과 사귐에 좋은 인연이 와서 나를 변화 시켜준다. 5가지 이상의 생각이 어울려 아이디어가 모이고 길이 된다. 즐겁지 않은가.

☞ (후기 3) 성장을 함께할 조력자

온라인에서 진정성이 느껴지는 사람을 만나기는 어렵다. 독서 모임을 하고 싶었는데 모임장이 어떤 분인지 궁금했다. 책을 읽으며 돈도 모아보자는 취지는 현재 나에게 가장 절실한 부분이라 모임의 취지와 딱 맞았다.

모임 전에 둘이 따로 만날 기회가 어쩌면 궁금한 부분을 적절히 물어볼 수 있을 거 같은 기대감이 들었다.

만나기 전의 기대감은 만나고 난 뒤 만족감으로 바뀌었다.

마흔이라는 나이가 넘어가면서 삶과 나에 대한 불안함이 찾아온 것은 아이가 학교에 입학한 탓도 있지만 뭔가 준비가 되지 않음에 있었다. 그게 경제적이라는 부분과 정서적인 결핍감을 발견했다.

주위에 휩쓸리듯 살고 있었다. 다른 사람이 이 정도 했으니 나도 이 정도는 해야 한다고 생각했다. 작년부터 시간이 생기면서 나를 찾고 싶었다. 여러 가지를 배워보고 사람도 만났고 그런데 채워지는 것은 없었다.

혼자 글 쓰는 시간을 가지고 브런치 작가 도전했다가 3번의 탈락으로 포기했다. 노력은 별로 하지 않았지만 간절함을 버리게 했다.

한 번의 상담과 대화를 통해 바뀌지 않을 수도 있다. 그런데 오늘 상담을 나누면서 "이해"에 대해 다시 생각해 봤다. 내 방식대로 생각한 것을 이해라고 받아들였다. 잘못이라고 생각한 적이 없다. 내 생각이 맞는다고 생각했다. 스스로에 대한 부정적인 감정이 타인을 받아들이는 것에 전달되었다.

삶에 대해 깊이 있는 고민을 해본 적이 거의 없는 것 같다. 주어진 것을 하기에 급급했다. 꾸역꾸역 살았다고 해야 맞는 거다. 독서도 글쓰기도 피하려 했으나 다른 중요한 것을 피했다. 새로운 방법을 고민하지 않았으니 일단 피하거나 외면하는 것으로 넘어갔다.

내가 사는 삶인데 이제는 맞닥뜨리고 싶다. 나와 대화도 해보고 싶다. 꼭 다른 사람과 대화했다. 대화하면 답이 나올 줄 알았나 보다. 내가 결정해야 하는 것을 다른 사람이 좀 결정해 줬으면 했다. 아니면 선택지를 두 가지라도 정해줬으면 했다.

다른 사람의 말이 정답이라 생각하면서도 실천은 하지 않고 위안으로만 삼았다. 위안은 위안일 뿐. 무언가 하고 싶은 생각도 없었다.

이제는 책을 읽으면서 나와 대화를 해보고 싶다. 내가 어떤 사람인지 알고 싶고, 혼자 시간을 보내고 싶고, 같은 책을 보는 사람과 독서모임을 하고 싶다. 책을 읽으면 변화가 생긴다고 하는데 그 변화도 궁금하다. 나에게도 그 변화가 올 수 있을지 걱정 반 기대 반이다.

추천해 준 책 "만일 내가 인생을 다시 산다면"을 읽었다. 작가는 나에게 아무도 하지 않은 위로를 전했다. 공감되는 말은 밑줄을 그었다. 밑줄 되는 말만 되새겨도 힘이 난다. 작가의 경험과 다른 쪽으로 생각해 볼 수 있도록 넌지시 언급했다. 한쪽밖에 보지 못했던 나에게 다른 면도 생각해 보는 시간이었다.

정희님은 실질적인 실천적인 방법도 설명을 아끼지 않으셨다. 본인도 중간 과정을 지나고 있고 성공의 무용담처럼 말하지 않았다.

인생의 성공이 부인지 지금 나아가는 과정인지 고민하는 내 고민에 깊이 공감 해주고 말을 아끼지 않아서 고마웠다. 비슷한 또래인 만큼 현실적인 공감대도 컸다.

이제 좀 변화하고 싶다. 과거의 안 좋은 기억에 더는 얽매이기 싫다. 책의 내용에서 내 감정을 찾고 싶다. 함께 찾고 싶다. 그리고 그 기분으로 변하고 싶다.

사소한 것 하나씩 노력할 것이다. 누가 그러지 않았던가. 혼자 가면 멀리 못가도 같이 가면 멀리 갈 수 있다고. 함께하는 힘을 믿으니까 같이 읽자고 하고 싶다.

그렇게 하면서 잘했다고 잘하고 있다고 칭찬받고 싶다. 이게 내가 책을 읽고자 하는 이유다. (필명- 힐링찬)

그분께 맡겨 드리기

광야의 40년을 청산하고 안식년을 맞이했다. 9년간 숨차게 달려왔다. 아이 키우기도 버거운 시간, 열심히 뛰면서도 힘들다고 가족에겐 투정 부리며, 강박증 환자가 되어서 밤만 되면 잠 좀 자자며 소리치는 날도 있다. 배달 3, 5년 차, 자야 한다는 생각에 잠이 오지 않았고, 알람을 놓치는 날도 있었다. 그렇다 보니, 알람조차 믿을 수 없게 되었다. 나란 사람이 알람을 무시하며 자기도 했다. 처음 1, 3년은 묵묵히 걸었다면, 4년부터는 몸에서 힘들다고 화를 내고 있었다. 처음엔 수면제를 절대 먹지 않으려 했는데, 잠이 들지 않는 땐 약을 먹기도 했고, 약에 의존하고 싶지 않아. 잠들지 못하고 깨어있을 때는 하느님과 소통하며 기도하는 법을 알게 되었다. 잃어버린 영혼을 위해서 기도하며 당신께 돌아오길 청하기도 하고 아픈 사람을 위해 기도한다.

한 권의 책이 내게 말을 걸어오고 있었다. 죄에 빠져 허우적거릴 때 읽었던 책이 너만 그런 게 아니라고 말을 건네주었다. 그렇다. 다들 돈이 뭔데 우리를 옥쇄 가며 가난에 빠지게 만들면서 온 가족을 궁지로 몰고 갈까. 소비하기 딱 좋은 날이고, 고가의 핸드폰을 들고 다니지 않으면 이상한 사람이 된 것처럼, 4인 가족 기준 핸드폰 요금, 핸드폰값 최대인 채로 빚이 쌓인다. 유튜브에서 약정이 언제 끝나는지 확인한 뒤 아이에게 아이폰 사주려고 금액을 확인하는 모습을 보여준다. 5, 7만 원이 2, 3년 얼마의 요금과 핸드폰값이 이자금과 함께 나가는지 모르는 건지. 우리들은 노예 생활의 끝판 왕으로 살아간다. 영상 속 아빠의 말에. 아이들이 엄마 아이폰 얼마 안 한다는데 하며 물들까 두려웠다. 핸드폰을 홍보하는 건지. 보이지 않는 협찬이 난무한 시대. 있는 사실 그대로를 믿으면 안 된다. 간접 ppl을 보는 시대에 살아가고 있는 우리들은 아이폰 15를 갖고 싶은 마음을 불러일으키고, 학원 수업 중 정보 공유의 편리함으로 원생에게 수입 제품을 강요하고 형편 여부와 관계없이 두 명 빼곤 모두 아이폰 바꾼단 학원도 생겨난다.

벌써 아이폰의 늪에 빠져 가난을 끌고 가지 않기. 우리는 이처럼, 누군가에 많은 영향력을 주고받고 살아간다. 나를 만나는 사람들은 돈에 관한 생각을 조금씩 바꿔가길 바란다. 빚을 바라볼 때 평생 갖고 가는 동반자. or 빚은 내 친구가 아닌, 꼭 한번은 정복해야 하는 대상으로 생각해 보길 바란다. 과거에는 은행에 정해진

대로 상환했다. 어떤 분은 5년간 이자만 내는 분도 있다. 이런 분이 제일 어리석어 보인다. 시간이 지난다고 빚은 줄어들지 않고 우리가 일해야 하는 시간은 점점 줄어든다. 젊어서 운동하지 않았는데, 때 되면 운동하면 돼 라는 건 어부 성설 에 가깝듯, 평일 미사 1회의 습관이 매일 지속하는 힘을 기르는 것처럼, 2024년에 주어진 시간에 평일 미사 보면서 기도한다.

어렵고 힘들게 살아가는 이들에게 한 줄기 빛이 되어 내가 전하는 말이 행동 변화를 이끌어 주기를 바란다. 어려운 순간을 어떤 마음으로 나아가느냐에 따라 삶은 달라진다. 지금은 비록 가난하게 행동하지만, 원하는 것을 원 없이 하지 못했을 뿐, 자발적 가난을 선택했고, 통장에 돈을 두는 대신 빚을 갚기에 집중하느라 가난한 생활을 했을 뿐이고, 아이들에게 용돈을 주지 않아도, 마트에 물건이 집으로 온다. 부모가 무심코 주는 돈이 결국 우리 아이의 욕망을 채워주고 낭비를 만드는 건 아닌지. 한 사람이 아무리 잘해도 다른 사람이 잘못 하면 대중 심리로 휩쓸려 간다.

모범이 되는 어른이 있어야 한다. 중심을 잡고, 가난을 극복해 나갈 수 있는 사람이 옆에 있다면, 이번 생은 망한 것이 아닌, `도전해 보자. 라는 마음으로 이겨내자. 인생에 많은 숙제가 있지만, 각자 자신의 레벨에 맞게 정상에 올라가자. 다 가질 수는 없었지만, 아이들의 9포 세대가 되지 않도록 자녀들이 만들어 갈 것이고, 이 땅에 태어났다면 가정을 이루고 자녀를 키워보길 바란다. 지금부터 결혼하지 않겠다고 선언하는 아이들에게 등을 떠밀어서라도 일찍 결혼시켜 안정감을 빠르게 맛보게 한다. 늙어서 조부모가 되지 않고, 젊은 할머니. 돈이 있고 아이들이 가는 길에 꽃길을 깔아주진 못하더라도 도움을 줄 수 있는 여유를 가진 할머니가 되어줄 수 있다. 어린 자녀를 키우면서 어머님의 도움을 많이 받았다. 자녀가 아이를 키울 땐 좋은 걸 돌려준다. 아이들 방학에 체험 학습을 데리고 갈 수 있는 여유를 갖고 재정의 안정감도 있겠지. 실제로 그렇게 행동하는 어른들의 모습을 보니 부러웠다. 아이들과 놀아주는 할아버지라니. 내가 바란 아빠의 모습이었고, 남편의 모습이지만, 남자들은 너무 바빴다. 아내 역시 일과 육아를 하면서도 자신의 성장을 향해 바쁘다. 자녀의 육아와 주거에 대한 책임과 돈을 관리할 의무를 무시하고 살 수는 없다.

경제적 자유를 얻기 위해 무거운 빚을 담담히 이겨내려고 새벽배송을 했고, 처음 배송할 때 사장님께 재밌어요. 라고 한 말을 시작으로 지금까지 힘듦을 `재밌다. 고 포장하며 이겨내고 있다. 걸으며 돈을 주는 어플. 공원에 가면 함께 토스 열고 돈 받기 하는 어른들이 많았다. 이 시간을 자기 계발 하면서 보내면 좋으련만, 독서 모임방에 중 장년 분들이 많이 들어온다. 세대를 넘어 함께 할 수 있는 모임으로 이끌어 가고 싶다. 서로의 좋은 에너지를 주고받는 함께 좋은 것으로 채워줄 수 있는 사이. 가족 그 이상의 인연이 아닐까. 좋은 공동체는 스스로 만들 수 있는 것이라 믿는다. 꼭 돈을 주고받지 않아도 함께 나누며 성장할 수 있는 건강한 모임을 지향해 보려고 한다.

똑같은 시간을 살아도, 어떤 마음으로 삶을 이끌어 가는지 따라 달라진다. 몇 년 전 빚에 잠식된 채 남편에게 책임과 의무를 모두 짊어지게 했다면, 이렇게 많은 빚을 갚을 수 없었다. 지나온 시간을 돌아보니, 별거 아닌 것처럼 느껴지지만, 대출 원금과 잔액을 확인하면 와 대박, 이건 내 힘이 아닌, 하느님이 하심을 느낀다. 앞으로 어떤 모습으로 만들어 낼지는 알 수 없지만, 재정 페이스메이

커와 같은 돈 관리를 돕는데 쓰려한다. 내 삶을 하느님께 맡기며 살아간다. 저 하느님 일 할게요. 라는 고백대로 살아간다.

빚 때문에 힘들어하는 사람도, 돈 때문에 걱정하는 사람이 사라지길 바라며, 함께 돈을 정복해 보기를 도전하자. 누구나 원하기만 한다면 부자가 될 자질을 가지고 있다. 적은 월급에도 해낸 나를 믿고 걸어보길 바란다. 남들이 자는 시간 잠을 줄여가면서 열심히 달려왔듯 일정한 노력 없이 거저 얻어지지 않는다. 빠르게 부자 되기라는 달콤한 말에 취해 돈을 남에게 맡기는 어리석은 행동은 하지 않기를 바라며, 그 대신 도서관에 돈 관련 책을 읽어보자. 돈 하나 들이지 않고 돈을 만들어 내는 행동력을 만들어 갈 수 있다.

고연봉자 임에도 전세 5억에 있는데, 이번 생은 망했다며, 집 마련을 외면하고 전세로 살아간다. 서울에 자가를 구매했다면, 더 많은 자산이 불었을 텐데 월급만으로 전세 5억에 머물러 있는 사람과 빚더미 속에서 만들어 낸 자산은 더 크게 불어났다. 혼자서 할 땐 힘들지만, 함께 일 때 힘이 더 커질 수 있고, 빠르게 행동력에 가속력을 붙일 수 있다.

3호 집에서 인테리어업체 선정에 따른 하자로 힘든 시간을 버텨낸 후 4호에 가게 되었다. 알아서 해준다고 믿지만, 악성 업체를 만났다. 어떻게 이 엄청난 사고를 치고도 외면 한 건지. 돈 없다는 설움이 고통을 겪게 했다. 모든 건 지나가기 마련이다. 무탈하게 만들어진 걸로 보이지만 어려운 시간이 있었기에 성장 했다. 시행착오를 모두 겪어내고 이젠 가속력이 붙을 일만 남았다. 잠시 쉬어가는 시간, 함께 독서하며 재정 상담한다. 책을 출판할 수 있어 행복한 시간이다. 남의 돈을 되찾아 온 데도 즐겁다. 돌아온 탕자처럼. 도망간 돈을 찾아오자. 아버지 품으로 돌아오듯 돈의 주인이 되어보자.

우리들의 이야기

독서하며 돈 모으기 모임방 운영

수많은 생각과 머릿속으로 상상하고 행동으로 실행까지 걸린 시간은 오래 걸리지 않는다. 모임방 이름을 몇 달을 생각해도 떠오르지 않았다. 만들려고 하니, 5분 만에 떠오르고, 모임 디자인화까지는 하루가 걸리지 않았다. 돈 관리를 바꾸는 데는 35년이 걸렸고, 퇴사를 하기까지 40년이 걸렸다. 3번째 책을 구성하고 아이디어 작업을 하자고 말 꺼냄과 동시에 또 작업을 시작하며 아이디어 회의를 하고 있다. 독서모임을 운영하면서 개인 상담으로 좋은 인연을 만난 건 하늘이 내려준 축복이다. 상처받은 영혼, 소비에 거품을 뺀 그녀, 돈에 무지한 그녀, 다양한 사람이 만나 세상을 향해 변해가는 모습을 기대해보자. 매일 통화하면서도 소재가 끊임없다. 모든 게 재밌다는 그녀. 늘 나를 비난하는 사람만 있었는데, 유일하게 나를 인정하는 사람을 만났다. 돈에 대화를 자주 나눈다. 책을 읽고 독후감과 돈에 대한 시각에 대한 말을 나누다 보면, 여러 가지 아이디어가 떠오른다. 혼자라면 한 달 살기를 떠날 엄두가 나지 않지만, 그녀와 함께라면, 어떤 난관도 극복해 나가고 싶은 조력자가 생겼다.

김미경과 함께하는 센 엄마 강연을 보러 언니와 다녀왔다. 보람상조 광고를 두 시간 넘게 들으면서, 혼자서 라면집에 가고 싶었겠지만, 함께 라서 이겨낼 수 있었다. 작년에 들은 강의와 다르지 않지만, 신경의 변화인지. 신앙을 갖게 되고, 신학대학을 준비하게 되었다고 한다. 믿음 안에 성장하는 모습이 기대된다.

부자가 될 수밖에 없는 사람들은 중요한 것 중 거품을 뺄 줄 아는 사람이 부자가 되는 게 아닐까. 김미경 작가님은 사업가 마음을 가진 것처럼. 우리의 마음은 어떤 것을 품느냐에 따라 포지션이 바뀌게 된다. 가까이서 볼 수 있는 부자. 함께 하자고 손 내밀어 줄 수 있는 평범하지만 독특한 생각을 가진. 돈독한 글쓰기 모임을 운행해 보려고 한다. 우리는 불편함을 이겨낼 때 부자가 될 수 있는 것처럼 마음을 열고, 다가올 수 있는 사람들이 많아져 부자 됨을 도전해 보자.

이 땅에 태어났다면 반드시 1억 원은 모아보고 말해보자.

1억 모아보진 않았지만, 빚 갚는 걸로 2억 3 천대를 만들어 보고 난 뒤에 돈의 크기가 커졌다. 스스로 돈의 크기를 정할 수 있다. 200만 원에 자신을 만족하지 말고, 앞으로 나아가면 좋겠다.

코끼리 우리에 있었다면 알 수 없는 인생의 허들 하나씩 넘어가며 만드는 재미와 인생을 즐기며 산다. 많아야 행복한 건 아니라 작은 행복감을 느낄 수 있다. 떡볶이 팔천 원으로 행복함을 느끼는 우리. 행복의 크기는 작게도 크게도 만들 수 있다.

당신의 행복 크기는 얼만가요. 함께 소소한 행복 속에서 돈을 부르는 독서 함께 해요. 혼자선 어렵지만 함께 일 땐 즐겁게 해낼 수 있다는 것. 빚 갚는 즐거움을 아는 그녀와 저축하는 즐거움을 아는 그녀가 만드는 소소한 대화 기대해 주세요. 함께 꾸려가는 독서 모임 다양한 연령대로 구성된 모임, 함께 어려운 시기를 극복해 나가기를 응원합니다. 부자 되기를 함께 해보지 않으실래요?

마침.

힘차게 달리다가 갑자기 멈췄다. <김미경의 마흔 수업>, <직장에 연연하지 않기> 책을 읽었을 때만 해도, 내게 직장이 사라진다는 걸 상상할 수 없었다. 일하지 않아도 19개월 150만 원의 급여가 제공된다(육아휴직, 실업급여). 당신에게 자는 동안에 돈을 주는 시스템이 있나요? 시스템을 만들어야 한다. 우리 가정에는 자동차 대금을 납부하는 남편 사업체가 있고, 아이들이 지역 아동 센터를 다니면서, 정서적 안정, 먹거리, 학습, 등을 무상으로 보육을 받고 있다. 성당에 속해 있으면서, 얻어지는 것들, 공동체가 우리 삶에 중요한 요소가 되듯. 나대신 돈을 대신 내주는 곳 필요하다. 적은 예산안에 살려면 공동체에 속해 있어야 한다.

첫째가 학용품을 구경하라고 필통을 보여준다. 돈을 주지 않아도 엄청난 물건이 아이들 방을 가득 메운다. 무심코 주는 돈이 누구에게 가 있는지를 파악해 보면 좋겠다. 아이에게 용돈을 주면서 어릴 적부터 돈은 쓰는 거야하고 가르치고 있는 건 아닌지 점검해 보자.

나의 잘못 형성된 소비 습관을 바꾸는데 35년 이상 걸렸다. 엄마가 되고 깨달음을 얻고 행동으로 바꾸기까지 긴 시간 동안 자녀들이 고통 속에 살아야 했다. 만약 자녀를 사랑한다면, 사랑을 물질로 채우는 건 아닐까. 과유불급, 과하면 모자람만 못하다고 한다.

결핍감을 가진 아이는 스스로 만들어 낼 힘을 지녔다. 물질을 쫓는 아이로 키우기보다. 절약할 수 있도록 키워보는 건 어떨까. 잘못된 길을 돌아설 용기가 우리에게 필요하다. 돈 걱정에 잠 못 이룬 날이 많았고, 잘못 설정된 값을 바꾸는데, 오랜 시간이 걸렸다. 누군가 쳐놓은 덫에 걸린 채 허덕이며 가난한 상태에 머문다. 두 사람의 연봉의 합을 계산하고 1년간 얼마의 돈이 모이고 있는지 파악해 보고 모이는 정도가 적은 수준이라면, 돈이 가고 있는 통로를 차단해야 한다. 10년간 연금저축을 해지하고 5년간 모은 적금은 정부에서 600만 원 아동수당으로 적립 받았고, 이자로 160만 원 생겼다. 모인 돈은 모두 빚을 갚는다. 남편이 생일이라고 준 상품권은 타인의 주머니에 가고 돈은 내게로 온다. 빚을 빠르게 갚으려고 하니, 나가는 돈을 통제하게 된다.

쓰는 기쁨을 넘어 빚을 갚는 기쁨을 맛보다 보니, 예상보다 더 빠르게 모을 수 있는 강력한 열정을 갖게 되었다. 만약 저축으로 돈을 모았다면 이렇게 많은 금액을 모을 수 없었을 것이다. 빚을 이용해 이자에 대한 심리적 압박감으로 빠르게 빚 갚거나, 가상 빚과 이자를 만들더라도 빠른 저축을 높일 수 있는 빚 갚는 도전 해보길 바란다.

이 책을 읽은 사람은 누구나 1억 모으기를 실천해 보기. 그리고 부자가 되기를 꿈꿔보자.

만약, 재정에 어려움이 있다면, 언제나 블로그에 문을 두드려 보길 바란다. 혼자서 갈 땐 더디게 가지만, 함께 갈 땐 멀리 갈 수 있다. 선한 사람들이 모인 순환 경제를 만들며, 누구나 살기 좋은 사회를 만들고, 나눔에 인색하지 않은 이들이 많아지길 바란다. 많이 있어야 나눌 수 있는 것이 아님을, 작은 습관부터 들어보자. 저 부자 되었어요. 라는 이야기가 들려오길 바란다. 누구나 마음만 먹으면, 원하는 것을 이뤄낼 힘이 내 안에 있다. 적은 월급으로 7년에 빠르게 빚 갚은 기적의 힘을 믿고, 따라 해보길 바란다. 신앙이 없는 이에겐 신은 우주의 기운이라 믿고 앞으로 나아가자.

심플리치오는 나를 믿어준 유일한 사람이었다. 두 딸은 하느님이 주신 최고의 선물로, 일상생활이 여행지고, 자연을 뛰어노는 모습만 봐도 유쾌한 너희들. 마흔을 돌아보니, 모든 게 은혜였다.

찬조 받은 인생에 이제는 베풀며 살려고 해. 지금까지 다닌 여행은 많은 분께서 지원해 주신 덕분에 저렴하게 다닐 수 있었다.

돈 이란, 많아야 하는 건 아니지만, 사람 된 도리를 하려면 꼭 알아야 하는 것으로 너희에게 빼앗김을 경험할 때 가끔은 약해지기도 하지만, 35년에야 모인다는 걸 경험했으니, 너희에겐 엄마가 지렛대가 되어주고 싶어. 모을 수 있는 환경의 기반인 목돈을 준다면 부동산을 구매해 볼까. 하는 자신감으로 월급이란 형태에서 자신에게 강제성을 먼저 설정하고 나머지를 쓰는 연습 하면 좋겠어.

빚을 빠르게 갚는다고, 하고 싶은 것을 참아내는 힘을 견뎌내 주는 가족, 이렇게 만들어 낸 결과물을 가지고, 사람들과 말할 수 있게 되었어. 가족원의 협조가 없었다면, 불가능했을 거야.

앞으로 더 많이 사랑하며 살자.

심플리치오, 안나. 아녜스 사랑하는 가족을 사랑하는 안젤라가.

23년 10월 자서전 글쓰기를 하러 대경 대학교에 간 건 신의 도움이다. 이 책이 나오기까지 도움을 주신 세 분의 교수님께서 많은 도움을 주셨다. 세상은 이처럼 따뜻하고 좋은 곳으로 혼자서는 만들어 낼 수 없다. 꼭 돈을 들이지 않아도 좋은 혜택을 누릴 수 있는데, 참여하는 행동이 그들에게 없다. 책 한 권을 만드는 건 용기와 누군가의 희생으로 결과물이 만들어진다.

받은 사랑에 보답하는 부자 되는데 에너지를 나누며 살아가려 한다. 많은 응원과 관심 함께 독서 모임을 하며 돈을 모아보자. 혼자서 길을 걸어가면 외로운 길이지만, 함께 할 땐 신이 나서 빠르게 걸을 수 있다. 더 많이 가질수록 나눔에 인색하지 않길 바라며, 시간을 나눔에 동참하고 세상에 빛을 전해본다.

저자 소개글

들여보기: 1억 남기고 퇴사한다.

40세를 살면서, 직장이라는 열차를 달리다가, 갑자기 멈춰 세워졌다.

아프리카의 코끼리처럼 직장에 오랜 시간 발목 잡혀 살았다.

육아휴직이 주어졌지만, 족쇄에 묶인 코끼리처럼 다시 직장을 가고 싶지 않다. 똑같은 길을 가고, 반복된 행동과 사고를 하며 산다. 틀을 깨트리고 싶다.

남들이 가지 않은 길, 하기 어려운 말을 하며 산다. 사랑을 담은 돈에 대한 쓴 소리지만, 달콤한 말 속에는 사기꾼의 유혹이 많다.

불편함을 자처하며 우유배달을 감행한 독특한 아이디어처럼 돈의 신념을 전달한다. 타인의 저당 잡힌 것에서 벗어나고 돈의 주인이 되길 바라며 개인 코칭을 무료로 해드렸다. 3~4시간 열심히 말하고도 힘들지 않고 그들에게 도움 된다는 것이 보람된 시간이었다.

누구에게나 은퇴의 시간이 빠를 수도 있고 느릴 수도 있지만,

학벌과 직업 연봉 등이 적다 보니 투 잡을 뛰면서 집 마련을 목표로 욕심냈을 뿐인데, 가족은 나를 돈독 오른 사람이라 생각했다. 각자 바라는 돈의 크기가 다른 것뿐인데, 비난을 견뎌내야 했던 시간이 있었다. 상처받은 영혼을 치유 해줄 한 사람을 만났다.

나만이 만들어 가는 직업. 명함 로고가 탄생 되었다. 문득, 각자의 다양한 사람이 어울려 만들어 가는 것처럼 각 글자에 대한 이름을 따서 돈. 독. 글이란 뜻의 로고를 만들었다.

돈독 오른 사람이 돈을 알기 위한 몸부림으로 독서하며 빚을 정복하는 재능을 얻게 되었다. 혼자서만 알고 있기에는 아까운 마음에 만남을 주선하며 돈독한 글쓰기란 뜻으로 20-70 다양한

세대들이 함께 만들어 가는 커뮤니티 모임, 그리고 글을 함께 써서 책으로 엮어나갈 우리들의 이야기를 담을 생각이다.

비슷한 40대의 자녀 키우는 엄마들이지만, 다양한 모습으로 살아 가는데,

미뤄서 안 되는 인생 숙제가 있듯. 돈을 미루지 않고 저당 잡힌 인생에서

벗어나서 돈의 주인으로 거듭났으면 하는 마음을 담았다.

힐링찬 님과 나누는 돈의 대화로 세 번째 책으로 구상 중이다. 돈의 소신과 철학 성장 꿈의 대화. 잘못된 선택 하며 사는 사람들 대화에서 독자들은 어떤 삶으로 나아가야 하는지 답을 찾아보면 좋겠다. 똑같은 인생이지만, 어떤 삶을 살아가든 각자의 몫이다.

혼자서는 보이지 않는 길이지만, 함께 일 때는 조금씩 앞이 보이기 시작했다. 그녀와 함께라면 낯선 외국에서 한 달 살아볼 용기를 얻고 실행에 옮기려 한다. 두 엄마와 4명의 자녀와 아프리카 체험에 많은 돈을 들이지 않고도 해볼 수 있다는 것을 전달하고 싶다. 많은 관심과 격려로 함께 성장해 나가면 좋겠다.

- 이메일 for48680s@gmail.com
- 블로그:https://blog.naver.com/forever486s
- 카카오톡:forever486s
- 오픈 채팅방: https://open.kakao.com/o/gU65drne
- 당근모임:https://www.daangn.com/kr/groups/4P56gZVd

마흔, 빚 상환의 기쁨, 머니 메신저 도착
(독서로 머니 메이커가 온다.)

글쓴이 김정희(안젤라)
발 행 2024년 03월 11일
펴낸이 한건희
펴낸곳 주식회사 부크크
출판사등록 2014.07.15.(제2014-16호)
주 소 서울특별시 금천구 가산디지털1로 119 SK트윈타워 A동 305호
전 화 1670-8316
이메일 info@bookk.co.kr

ISBN 979-11-410-7605-4

www.bookk.co.kr